Red Paint Bay

Du même auteur

L'Homme-Toupie, Gallimard, 2006

George Harrar

Red Paint Bay

Traduit de l'anglais (États-Unis)
par Thomas Bauduret

Titre original
Reunion at Red Paint Bay

Première publication en langue originale
par Other Press en janvier 2013.

Publié en accord avec Other Press LLC

118, avenue Achille-Peretti – CS 70024
92521 Neuilly-sur-Seine Cedex
www.michel-lafon.com

Qu'il est doux quand les vents lèvent la mer immense,
D'assister du rivage au combat des marins !
Non que l'on jouisse alors des souffrances d'autrui,
Mais parce qu'il nous plaît de voir qu'on y échappe.

Lucrèce

RED PAINT, Pop. 7 142
La ville la plus accueillante de tout le Maine

I

Simon Howe, rédacteur en chef du journal local, le *Red Paint Register*, rentrait chez lui en voiture dans la lumière déclinante du soir. Derrière le panneau rouillé, s'étendait une forêt de buissons uniformes. Aussi loin que portait le regard, ce paysage ne présentait pas le moindre relief permettant de déterminer ce qu'il dissimulait. Ça n'avait pas d'importance. On ne tombait pas sur Red Paint par hasard. Sur l'autoroute, quiconque prenait la sortie menant à cette ville y habitait forcément déjà, et savait dans quoi il s'engageait. Simon tendit la main par-dessus le levier de vitesses pour la poser sur le genou d'Amy, son épouse. Ils étaient allés dîner à l'auberge de Bayswater Inn, et elle n'avait pas dit un mot depuis qu'ils en étaient repartis. Voilà qui ne lui ressemblait guère. Peut-être se faisait-elle du souci pour leur fils, qu'ils avaient laissé seul pour la première fois ? Davey, lui, n'avait pas eu l'air de s'inquiéter outre mesure.

Alors qu'ils s'approchaient de la voie ferrée, un trait de lumière au milieu des buissons attira son attention. Bien que la barrière fût levée, il arrêta la voiture et sentit la brise nocturne caresser son visage, charriant l'odeur de léger moisi des marécages.

– Des vers luisants, dit-il. Quand j'étais gamin, en été, on en voyait des centaines. Je m'amusais à les attraper et à les mettre dans un bocal. C'était comme capturer une flamme.

Amy suivit son regard braqué vers les bois.

– C'est peut-être pour ça qu'ils se font rares. Tous les garçons les emprisonnent dans des bocaux…

– On ne les y laisse que quelques minutes, on les relâche ensuite.

Simon fixa les hautes herbes, cherchant une autre lumière, en vain. Il fit redémarrer la vieille Toyota qui rebondit sur les rails avec un bruit de ferraille avant de grimper dans un souffle asthmatique la pente escarpée de la colline. Du sommet, Red Paint se livra à leurs regards, six kilomètres de long sur quatre de large. Elle ressemblait à une aquarelle plutôt qu'à une agglomération, une nature morte au crépuscule. Il n'y avait pas de grande rue, juste un étroit ruban d'asphalte sinuant des lotissements de la baie jusqu'aux bungalows piquetant la forêt de pins qui s'étendait à l'est. Entre ces deux extrémités s'étendait le centre-ville, un terrain vague irrégulier entouré de commerces. Au milieu de cet espace moucheté de verdure, se dressait un kiosque à musique qui, d'après la plaque, avait été construit en 1813. C'était là que les politiciens de passage – tous sans exception – félicitaient les braves gens de Red Paint pour leur attachement à leurs racines. À les entendre, l'immobilisme était une vertu.

– D'après toi, il y aura du monde ? demanda-t-elle.

– Où ça ?

– À ta réunion d'anciens de l'école. Tu crois que la salle de bal sera pleine ?

Simon secoua la tête.

– Peut-être. Je n'en sais rien. J'ai horreur de ces réunions. C'est comme de se retrouver face à l'ado maladroit qu'on a été un jour, et qu'on a eu tant de mal à oublier.

– Eh bien, j'ai hâte de voir tes anciennes conquêtes !

– J'avais des petites amies, pas des conquêtes.

Ginnie, Nora, Lauren… Ça faisait des années qu'il n'avait pas pensé à elles. Sauf peut-être à Ginnie, de temps en temps.

Amy lui toucha le bras.

– Oh, j'oubliais. J'avais promis à Davey qu'on lui rapporterait un cheeseburger et des frites en échange de l'avoir laissé seul.

Simon jeta un coup d'œil dans le rétro avant de ralentir.

– Il n'y a pas de raison de le dédommager. Il nous a presque fichus dehors !

– C'était pour faire bonne figure. Je sais qu'il était anxieux.

Simon vira à quatre-vingt-dix degrés dans le parking poussiéreux de Red's Diner, faisant le tour du panneau lumineux pour prendre la Route 7, Bayswater Road.

Amy orienta la ventilation vers son visage.

– Alors, qu'est-ce que tu vas mettre à la une, cette fois-ci ?

Une question qu'elle lui posait souvent. Parfois, il inventait des histoires absurdes d'ovnis survolant Red Paint Bay ou de terroristes s'entraînant près des vieux puits de mine. Tout, plutôt que d'aborder ce qui figurait toujours en première page – des comptes rendus laborieux sur l'attribution de différents permis et des réunions du conseil municipal. Ce soir, il n'était pas d'humeur à faire semblant.

– J'imagine que j'amortirai ce type qui a eu un accident à la décharge le mois dernier et y a laissé un doigt de pied. Il a porté plainte contre la ville. Je pensais à une manchette proclamant : « Un gros orteil vaut-il 500 000 dollars ? ».

– Une question provocante.

– Oui. Les autres journaux vont se précipiter pour savoir la suite.

Il s'approchait un peu trop vite d'un autre véhicule qui prenait son virage. Amy se raidit contre son siège alors que leur voiture mordait le bas-côté avant de revenir sur la route. Ils passèrent devant le golf miniature Black Bear et Ten Pin Alley sans voir le moindre signe de vie. Que faisaient les 7 140 autres citoyens de Red Paint à cette heure ? Ils regardaient la télévision et la réalité alternative qu'elle leur offrait ?

– Je pensais à un nouveau slogan pour le *Register* : « Il ne se passe rien – et vous le savez avant tout le monde. »

– Ça sonne bien.

– En fait, c'est déjà la devise d'un journal bouddhiste, donc c'est plus profond que ça en a l'air.

Des phares apparurent et grossirent rapidement dans le rétro, deux boules de feu blanc qui tournèrent abruptement comme pour disparaître dans les bois. Simon scruta la surface réfléchissante, s'attendant à voir une voiture de police se lancer à la poursuite du bolide, tous gyrophares dehors. Auquel cas, bien sûr, il virerait de bord pour les suivre, comme lorsqu'il était journaliste à Portland. En vain.

– Tu sais quand a eu lieu le dernier meurtre commis à Red Paint ?

Amy but une longue gorgée à même sa bouteille d'eau.

– Ce devait être avant qu'on achète la maison… au moins dix ans.

– Vingt ans cette semaine, un biker qui s'est fait descendre devant le Mechanic Pub. Et depuis, plus rien.

– Tu as l'air déçu.

C'était peut-être vrai. Dans une petite communauté, rien ne vaut un bon assassinat pour occuper les esprits. Ainsi, tous ont l'impression d'être une victime et se demandent où va le monde. Tous bouclent leurs portes dès la tombée de la nuit. Et, bien sûr, tous achètent le journal pour lire les derniers détails sordides.

– Je m'étonne, c'est tout. On pourrait croire que, de temps en temps, quelqu'un prendrait son fusil histoire de mettre un terme à une querelle.

L'énorme panneau Burger World était désormais en vue. Amy posa une main contre le tableau de bord pour se cramponner. Simon s'engagea sur la sortie avec une lenteur exagérée, tourna autour de l'oreille de plastique et se pencha par la fenêtre.

– Un cheeseburger, bien cuit, et une frite normale.

– Vous ne voulez pas un menu maxi pour seulement un dollar de plus, monsieur ?

La voix était douce et agréable, celle d'une jeune fille. Une nouvelle, sans doute, qu'il n'avait jamais entendue auparavant. Elle devait être jolie, se dit-il, bien qu'il ne puisse dire d'où lui venait cette impression. Il chercha vaguement une raison d'entrer dans le restaurant, afin de mettre son intuition à l'épreuve.

– Monsieur ?

– Oui. Je veux dire, non.

– Bien, reprit cette voix douce. Ça fera 3,74 dollars. Veuillez passer à la fenêtre suivante. Bonne soirée.

Alors que la Toyota s'avançait, Amy se pencha en avant et cria « Merci ! », ce qui lui parut inutile puisqu'elle n'était pas partie prenante dans cette transaction. Mais ça ne pouvait pas faire de mal. C'était juste Amy.

– Tu sais… dit-elle en se radossant à son siège.

– Quoi ?

– … tu pourrais te montrer un peu plus cordial avec les autres.

– Quels autres ?

– Cette fille, là.

Il regarda par-dessus son épaule.

– Tu veux que je sois plus cordial, alors que je commande un cheeseburger et des frites à une oreille géante ?

– Parfois, tu peux être sec.

– Je suis succinct, pas sec. L'ado qui se trouvait dans cette oreille, ou Dieu sait où, s'en moquait, du moment que je prenais ma commande sans m'attarder. Ils marchent au volume, pas à la courtoisie. (Simon tira un billet de cinq dollars de son portefeuille.) Est-ce que ça a un rapport avec « la ville la plus accueillante » du panneau ? Parce que, tu sais, c'est juste un coup de marketing. La chambre de commerce a inventé ce slogan pour attirer les PME.

– Ce n'est pas la première fois que je le remarque, tu peux être désagréable. Tu donnes une fausse impression.

– Désagréable ?

Il recula la voiture le long de l'étroite allée et s'arrêta à la hauteur de l'oreille géante.

– Hello ? Pardon ?

– Voulez-vous modifier votre commande, monsieur ?

– Non, juste vous poser une question. Lorsque j'ai pris ma commande, ai-je été sec ?

– Sec ?

Il s'interrogea sur ce mot – était-il au-delà de la compréhension d'une ado travaillant à Burger World ?

– Sec ou grossier, balança-t-il dans le canal auditif. Me suis-je montré désagréable ?

– Non, pas du tout.

Simon se tourna vers Amy, qui haussa les épaules.

– C'est rien à côté de certains clients, reprit la fille. Ils peuvent être vraiment lourds.

Simon posa son bras sur la portière.

– Je regrette que vous deviez en passer par-là.

– Oui, et tout ça pour sept dollars de l'heure. Mais si je veux, je peux leur rendre la monnaie de leur pièce !

Il imagina ses doigts aux ongles écarlates passer des cafards à la moulinette pour en faire de la sauce à hamburger et presser une éponge sale dans un verre de coca. Derrière lui, quelqu'un klaxonna.

– Eh bien, bonne chance ! dit Simon.

– Merci. Votre commande est prête.

Au guichet, un ado grassouillet leur tendit le sac orné du visage d'une vache hilare : la mascotte de BW. Simon jeta un coup d'œil à l'intérieur.

– Elle nous a mis du ketchup en plus. Plein !

En redémarrant, il se tordit le cou pour lancer un merci au gamin, qui sourit en agitant la main.

*

* *

La voiture continua son chemin le long de Crescent Street, la route traversant Red Paint, un gisement de nids-de-poule que personne ne prenait la peine de combler. Pendant ce temps, Amy déposa une fine couche régulière de ketchup sur une frite sans en renverser une goutte. Il avait toujours admiré la précision de ses gestes. Il se demanda combien de frites elle allait manger. Ses estimations étaient toujours en dessous de la réalité.

– As-tu déjà embauché ton remplaçant aux rotatives ?

– Oui, je ne te l'ai pas dit ? Pendant un temps, il a fait partie des relations publiques de l'équipe des Red Sox puis il a bossé au *Portland Press Herald*. (Simon alluma la radio.) Ça me rappelle que le match doit avoir commencé.

Si loin sur la côte, il était difficile d'obtenir une bonne réception, et un crachotis statique emplit l'habitacle. Amy manipula le bouton, cherchant la bonne station.

– Comment as-tu pu le convaincre de bosser au *Register* ? Tu lui as promis une baisse de salaire ?

– Il a quitté le *Herald* il y a sept ans.

– Et où était-il employé pendant tout ce temps ?

Pour une psychiatre, la curiosité est une vertu, et Amy n'en manquait pas : elle ne cessait de presser comme un citron la moindre information au cas où elle aurait une signification cachée. Mais dans une conversation ordinaire, cette manie devenait vite agaçante. Il y avait parfois de bonnes raisons d'abandonner un sujet.

– Il n'a pas vraiment travaillé.

– Alors qu'a-t-il fait ?

Simon pensa à ce que l'homme lui avait confié durant l'entretien d'embauche – que l'année précédente, il avait dévoré plus d'une centaine de livres. Principalement des polars, mais tout de même.

– Il a beaucoup lu, deux bouquins par semaine en moyenne.

Amy mangea une autre des frites de Davey.

– Comment peut-on avoir tout ce temps ?

– Les retraités, les malades, les chômeurs, ceux qui n'ont ni enfant ni télé…

– Il appartient à quelle catégorie ?

Il avait l'embarras du choix. Mais un mensonge en entraînerait certainement d'autres, puisque Amy n'en resterait pas là.

– En fait, il était en prison.

Elle replia le haut du sac de chez Burger World.

– Il était en prison ? répéta-t-elle.

– Et il y est toujours, à Warren. Il sort demain.

– Qu'est-ce qu'il a fait ?

Simon aurait préféré ne pas répondre. D'ailleurs, lui-même ne savait pas vraiment ce qu'il en était. Enfin, pas dans les détails.

– Je ne devrais pas en parler.

Elle lui donna un petit coup sur la nuque.

– Allez, crache le morceau !

– Il a agressé une femme.

Amy retira le bras passé autour de son épaule. Elle comprit tout de suite.

– Il l'a violée ?

Simon se concentra sur la route.

– Tu as embauché un violeur ?

Une description si réductrice, comme si un simple mot pouvait synthétiser la nature entière d'un homme plutôt qu'un acte aussi horrible qu'isolé. Ne méritait-il pas qu'on résume sa vie, ne serait-ce qu'en quelques phrases, avant de le juger ?

– J'imagine qu'il ne l'a pas mis sur son CV ?

– Il avait un casier, pas un CV.

Elle jeta un coup d'œil par la fenêtre avant de revenir à lui.

– Tu ne m'as jamais dit que tu envisageais d'embaucher un violeur.

– Je l'ignorais. Je suis allé voir les nouvelles mesures de l'État en faveur de la réinsertion des ex-taulards. Et j'ai fini par faire passer quelques entretiens.

– Et embaucher un violeur.

– Comme je devais le découvrir.

– Aucun pédophile ou meurtrier disponible ?

Simon freina sèchement au carrefour de Five Corners, bien qu'en temps normal il se risquât à passer à l'orange plutôt que de subir les nombreux feux rouges.

– Je sens que tu n'es pas d'accord.

– Je me demande juste pourquoi tu veux embaucher un violeur.

Violeur... Combien de fois prononcerait-elle ce mot ?

– Ce type a un nom, il s'appelle David Rigero, et David a eu les meilleurs résultats aux examens d'application. Et en plus, je l'aime bien.

– Comment ça ?

– Comme quelqu'un avec qui on peut discuter. Si je prenais l'avion et me retrouvais à côté de lui, j'apprécierais sa conversation.

– Tu comptes partir en voyage avec lui ?

– Non, répondit-il, bien qu'il sache qu'elle se moquait gentiment de lui. Mais nos bureaux sont tout petits, et je préfère avoir pour collaborateurs des gens que j'apprécie. De plus, il est prêt à mettre la main à la pâte s'il le faut. Il a un vrai talent d'écriture.

Devant eux, la circulation s'écoulait au ralenti – quelques voitures, un camion-citerne et un van blanc dépourvu de marques, de ceux qu'on voit souvent quitter les scènes de crime, s'il faut en croire les rapports de police. Fallait-il juger les gens qui conduisaient ces véhicules uniquement à l'aune de ce qu'ils avaient fait de pire ? Qui pouvait survivre à un tel examen ?

– Donc, reprit-elle, quelle existence fut irrémédiablement dévastée par ton interlocuteur préféré ?

Simon chercha un instant quel nom inventer. Celui de Sarah Jenkins lui traversa l'esprit. Il lui sembla assez crédible.

– Je ne lui ai pas posé la question.

– Tu ne t'es même pas demandé qui était sa victime ?

– À quoi ça m'avancerait ? Je ne lui ai pas demandé de m'expliquer en détail pourquoi il était en taule. Ça ne m'a pas paru pertinent.

Simon attendit pendant qu'une femme portant deux sacs de commissions traversait devant la Toyota, puis il s'engagea prudemment sur le carrefour. Five Corners était le croisement le plus dangereux de tout Red Paint.

– Elle a peut-être besoin d'un emploi.

Un instant, il crut qu'Amy parlait de cette femme qui traversait la rue.

– Enfin, si elle a surmonté le traumatisme de l'agression commise par ton nouveau collaborateur.

Simon mit le pied au plancher, faisant grincer la vieille bagnole. Amy claqua le tableau de bord du plat de la main.

– Attention, tu risques de déclencher l'airbag.

Elle le martela de son poing.

– Au moins, comme ça, cette fichue guimbarde arrêtera son boucan.

Il lui prit la main.

– C'est bon, je m'excuse, d'accord ? Si j'avais su que tu réagirais comme ça, je n'aurais jamais embauché ce type.

Sa franchise avait des limites. Il était facile de s'excuser pour quelque chose qu'il n'avait pas l'intention de modifier.

– Je croyais bien agir en donnant une seconde chance à quelqu'un qui avait payé sa dette envers la société.

Elle allait dire quelque chose, mais préféra réfléchir avant de reprendre la parole.

– Tu sais que la moitié de mes clientes sont des femmes qu'on a agressées d'une façon ou d'une autre. J'entends leurs histoires tous les jours. Après quelques années, leurs tortionnaires sortent de prison, du moins pour ceux qui se font arrêter, et reprennent le cours de leur vie. Mais les victimes, et surtout celles de viol, ne s'en remettent jamais.

– Donc, on devrait enfermer David Rigero à vie et jeter la clé ? Ou le balancer à la rue sans emploi ni avenir ?

– Je n'ai pas dit ça. Mais rien ne t'obligeait à l'embaucher.

– C'est ça, je n'avais qu'à le laisser choisir parmi toutes les autres offres d'emploi à sa disposition.

Ils continuèrent en silence. Amy laissait rarement une discussion en suspens sans avoir le dernier mot, mais cette fois elle resta coite. Si seulement ça pouvait se produire plus souvent. Quelques minutes plus tard, il tournait sur Fox Run pour s'engager dans leur allée. Il coupa le moteur et ouvrit la portière. Elle resta assise, le sac de Burger World entre les mains. Il n'avait jamais réalisé à quel point cette vache avait l'air stupide, avec son sourire débile.

– Tu viens ? demanda-t-il.

Elle le regarda.

– Simon, je ne veux pas voir cet homme. Jamais.

Il acquiesça. Mais Red Paint était une petite ville. Impossible de dire si un jour leurs chemins ne se croiseraient pas.

2

Selon la tradition, le rédac chef du *Register* occupait le vieux bureau de chêne situé face à la fenêtre voûtée donnant sur Mechanic Street et l'avenue Common bordée d'arbres. Dix ans plus tôt, après avoir acheté ce journal, Simon Greenleaf Howe fit comme ceux qui l'avaient précédé pendant une centaine d'années : il laissa l'intérieur de son bureau ouvert à tous les regards, de jour comme de nuit.

Ce mardi, tard le soir, il était seul dans la salle de rédaction. Au-dessus de sa tête, les néons fluorescents ondulaient sous les courants issus de deux ventilateurs posés chacun d'un côté de la salle. Il entendait le faible bourdonnement des grands générateurs d'air conditionné provenant des locaux municipaux voisins. À part ça, tout était silencieux. Il se sentait vaguement groggy, comme si on avait pulvérisé un somnifère en aérosol dans le bureau. Il se frotta les yeux, tentant de se concentrer sur les épreuves de la une posée sur son bureau, notamment cette dépêche de dernière minute requérant son attention.

Une mère et sa fille sauvées d'un terrible accident
Par Ellen Collins

Randall Caine admet qu'il a toujours été impulsif. Heureusement pour une petite fille en particulier, ce lundi soir, le mécanicien automobile de 27 ans ne prit pas le temps de réfléchir lorsqu'il vit la Chevy Malibu roulant devant lui sur Dakin Road déraper et prendre feu. Il sauta littéralement dans les flammes pour sauver Viola Lang, 5 ans, couverte de bleus et de coupures.

La conductrice, Jennifer Lang, 29 ans, put s'extraire de l'épave par ses propres moyens. La mère et la fille se remettent actuellement à l'hôpital de Bayview, et leurs jours ne sont pas en danger. De la voiture et son contenu, il ne reste rien, sinon la paire de dés porte-bonheur accrochée au rétroviseur intérieur, qui fut éjectée sous le choc.

Ce jour-là, des pompiers de la caserne de Northside faisaient un exercice à Portland et arrivèrent à temps pour arroser l'épave fumante. Pour son courage, Caine fut surnommé « le Héros de Dakin Road » par le maire Joseph Samuels, qui plus tard dans la semaine…

(Suite page 16)

Simon pouvait imaginer la scène : Randy Caine avec son T-shirt « Randy Caine's Auto Parts » rouge sang, plongeant dans les flammes pour sauver une petite fille. Randy n'était pas du genre à réfléchir aux conséquences. Dans son monde, il n'y avait sans doute pas de conséquences méritant qu'on y réfléchisse. On se jetait dans les flammes, ou on restait à l'écart. Cette fois, il avait plongé.

Simon fit un cercle autour du titre avec son feutre noir et écrivit « corps 18 ». Dans l'article, il raya « littéralement ». Y avait-il une autre façon de sauter ? Il raya toute la phrase concernant la caserne de Northside. Inutile de montrer les pompiers locaux sous les traits d'incompétents qui escaladaient des échelles pendant qu'une voiture brûlait. Ils seraient déjà furax de voir qu'un Caine, pas vraiment une des familles les plus reluisantes de Red Paint, était porté aux nues pour son courage. La bête noire de la ville était devenue un héros, et que pouvait faire le maire Samuels, lui donner une carte « Vous sortez de prison » ? Il ne tarderait pas à en avoir besoin. Simon traça une étoile dans la marge à la hauteur de l'histoire des dés miraculés, comme si seul un coup de chance leur avait évité de finir en cendres. C'était le genre de détails qui faisaient la renommée du *Register*.

Il parcourut le reste des épreuves. « L'homme blessé dans un accident de décharge intente un procès à la ville », disait la une, avec en dessous : « Un gros orteil vaut-il 500 000 dollars ? ». Une question provocante en effet. Juste sous le pli, une photo de John DeMonico, président de la banque First Red Paint, arborant un sourire carnassier alors qu'il distribuait des médailles pour vingt ans de bons et loyaux services, était rognée si serrée que les lauréats ressemblaient à des têtes tranchées posées sur un plat. Simon griffonna : « Ces gens ont des cous, non ? Retailler. » Dans un petit encadré à côté de la photo, il y avait le titre : « 25e réunion des anciens du lycée ». Il avait fait passer cette note tout le mois dernier, un souvenir récurrent de sa propre date limite. Il pouvait entendre les questions de camarades de classe qu'il n'avait pas vus depuis des dizaines d'années : « Que s'est-il passé, Simon ? Tu es bien la dernière personne que j'imaginais rester à Red Paint. » Le garçon qui, d'après le journal de classe, était celui qui avait « le plus de chance d'aller sur Mars » était désormais propriétaire du seul journal de la ville et vivait à quelques kilomètres de la maison où il avait grandi. Difficile à expliquer, même pour lui.

Ses yeux dérivèrent vers le coin inférieur droit de la page un et la citation de la semaine : « L'humanité ne supporte qu'une petite quantité de réalité. » – T. S. Eliot. « Drôle de choix, Barb, écrivit-il à l'intention de son assistante d'édition divorcée depuis peu. Pourquoi pas quelque chose d'un peu plus positif pour la semaine prochaine ? ». Et voilà, encore une édition prête à partir aux rotatives, qui ne fournirait pratiquement aucune information réelle. Quoique, il avait pu broder suffisamment et agrandir les photos assez pour remplir ces trente-deux pages. Une réussite digne d'éloges, sauf qu'il n'y avait personne pour le féliciter. Il n'y a pas de prix Pulitzer du remplissage.

Simon appela la salle des rotatives, puis posa le combiné contre son cou tout en tirant sur sa veste.

– J'ai fini de relire la une, Meg, déclara-t-il. Je la laisse sur mon bureau.

Quelques minutes plus tard, la porte s'ouvrit et le *violeur* entra. Comment pouvait-il le considérer autrement ? C'était la première fois que Simon voyait son nouvel employé à l'œuvre. Les cheveux de Rigero étaient coupés très court sur les côtés et il avait rasé sa moustache, ce qui le rajeunissait de dix ans. Mais au lieu de ressembler à une version plus jeune de lui-même, il avait changé de façon si radicale que Simon avait l'impression de se retrouver face à quelqu'un d'autre. Devoir faire coller l'image mentale qu'il se faisait de lui avec l'homme qu'il avait sous les yeux était pour le moins déconcertant.

– Mlle Locklear m'envoie chercher les épreuves, monsieur Howe. Elle termine la maquette.

Simon ne reconnaissait pas non plus sa voix. Elle était moins grave, avec une certaine douceur dans le ton, rien de haché ni de tendu.

– Monsieur Howe ?

Simon lui tendit la une.

– La voilà, David.

Rigero parcourut des yeux le gros titre.

– C'est bizarre.

– Comment ça ?

– Si un gros orteil vaut un demi-million, combien coûteraient des doigts ? Ou carrément une tête ?

– Je ne sais pas s'il y a un argus détaillé des membres humains. Ils ont la valeur que leur donne un jury.

Rigero serra son poing gauche, puis détendit ses doigts l'un après l'autre comme s'il calculait combien lui rapporterait chacun d'entre eux.

*

* *

Aux yeux de Simon, Davey se comportait d'une drôle de façon ces derniers temps. Il n'avait pas grandi plus que de raison, ses cheveux étaient les mêmes – dressés par le gel pour lui faire gagner quelques centimètres – et sa voix n'avait pas encore pris son timbre d'adolescent. Il continuait de courir aux quatre coins de la maison, se blottissait toujours entre eux sur le canapé pour regarder le film du vendredi soir, voulait toujours qu'on lui lise une histoire avant de s'endormir, et il fallait toujours le chatouiller pour qu'il se lève le matin. Mais tous ces petits gestes prenaient une dimension nouvelle, quelque chose d'inhabituel qui rôdait là, sous la surface des choses. Comme en ce moment, où Davey se tenait dans l'allée menant au garage, à regarder le petit jardin de derrière. Il avait quelque chose en main. Sa tête était légèrement inclinée sur le côté pour mieux voir les arbres. Simon resta toute une minute à le fixer, s'émerveillant de la capacité du garçon à demeurer parfaitement immobile. Quant il le voulait, il n'avait plus rien d'hyperactif. Mais qu'est-ce qui pouvait bien le motiver ? Simon s'arracha à la fenêtre de la cuisine et sortit par la porte. Maintenant, la main de Davey était vide. Il regardait ses pieds.

– Qu'est-ce qu'il y a, fiston ?

– Rien.

Simon se rapprocha, cherchant une bosse révélatrice de l'objet qu'il aurait mis dans une de ses poches. Puis il vit le dessin sur le devant de son T-shirt, blanc sur noir, de petits squelettes flottant dans le vide, et tendit la main pour empoigner le tissu.

Davey fit un pas en arrière.

– Qu'est-ce que tu fais ?

Simon tira sur le bas du maillot, dévoilant deux mots : « Bébés morts ».

– Où as-tu trouvé ça ?

Le garçon baissa les yeux sur sa propre poitrine.

– Je ne sais pas, je l'ai depuis, oh… toujours.

– Ce n'est pas maman qui te l'a donné ?

Davey secoua la tête.

– J'achète moi-même mes affaires.

– Avec notre argent.

– Oui, eh bien, que veux-tu que je fasse, que je trouve un boulot pour me payer des fringues ?

Son ton était à la limite de l'agressivité, comme souvent ces derniers temps, mais Simon refusa de mordre à l'hameçon.

– Tu pourrais livrer des journaux. Comme ça, tu gagnerais ton argent de poche.

– Désolé, p'pa, mais le seul journal de la ville paie trois dollars de l'heure seulement.

– Plus les pourboires.

Simon regarda l'étrange expression des bébés morts, comme béats dans leur non-existence. Rien de vraiment horrible. Et pourtant, ça ne lui semblait pas convenable.

– Je ne veux pas que tu ailles à l'école avec ça.

Le garçon donna un coup de pied de la pointe de sa basket, délogeant une motte de terre.

– Les profs s'en fichent. De toute façon, ils peuvent rien y faire. J'ai droit à la liberté de m'habiller comme je veux.

– Désolé, fiston, mais ma responsabilité de père est plus forte que ta liberté d'expression. On ne devrait pas mettre des bébés morts sur un T-shirt fait pour être porté, encore moins à l'école. Et n'abîme pas la pelouse.

Davey interrompit son geste et reposa le pied au sol. Puis il planta ses mains sur ses hanches en une posture se voulant crâneuse.

– Je peux y aller ?

– Bien sûr, répondit Simon.

Et à ce moment, il était vraiment content de se débarrasser de sa présence.

*

* *

Lorsque Amy passa la porte de devant, Simon se versait déjà un verre de vin dans la cuisine.

– Tu es en retard ! lui lança-t-il. J'ai commencé sans toi.

Elle retira ses chaussures, les laissant dans le vestibule.

– J'ai dû assister à un atelier contre la violence à Portland. Ils ont un peu traîné.

Il versa le merlot jusqu'à ras bord, le liquide rouge emplissant le verre. Pour lui, c'était un défi : jusqu'où pouvait-il aller sans renverser une seule goutte ?

– Tu as converti des adeptes de la violence à la non-violence ?

Elle prit le verre à deux mains comme un calice et but une gorgée.

– À ce stade, tu devrais savoir que tes sarcasmes me laissent indifférente. Tu ne peux plus rien contre moi.

– C'est pour ça que je ne m'en prive pas. Tu ne le prendras pas personnellement.

Amy ouvrit le réfrigérateur et en tira une branche de céleri. Elle la plongea dans son vin et touilla quelques instants avant de mordre dedans.

– Davey est à l'étage ?

Simon acquiesça.

– Tu sais qu'il porte un T-shirt avec des bébés morts dessus ?

De toute évidence, elle était au courant.

– Je crois que c'est lié à ces histoires de vampires que les gamins adorent. Ça ne me plaît pas non plus. Je le ferai peut-être disparaître à la prochaine lessive.

Elle se dirigea vers le porche et se laissa tomber sur le canapé de rotin. C'était le moment de décompresser.

– Alors ? demanda Simon en s'asseyant en face d'elle sur le rebord de la fenêtre.

Il n'eut pas à en dire plus.

– Ma journée s'est terminée avec Miss Tarentule. Elle habite un de ces monstrueux lotissements de Bay Estates. Mille mètres carrés rien que pour elle et une douzaine de tarentules.

– Elle a des araignées comme animaux familiers ?

– Elle sauve celles qui sont blessées ou malformées. En fait, c'est une célébrité dans le milieu des amateurs d'arachnides. Elle a écrit des livres sur les mygales d'Afrique du Sud, les missulena d'Australie et celles qui bouffent des oiseaux.

Simon plongea le bout d'un doigt dans le vin et le fit tourner autour du rebord. Une sensation étrangement agréable.

– Et c'est pour ça qu'elle te consulte ? Ses araignées lui font des misères ?

– Elle scrute chaque détail de son existence comme s'il avait un sens caché. C'est devenu une obsession. Elle ne vit que dans le souvenir.

– Ça n'a pas l'air bien grave.

– Ça l'est pour elle. Elle ne voit pas plus loin. À ses yeux, ses journées sont une succession d'expériences analysées dans leurs moindres détails, et elle ressent le besoin de me les expliquer toutes.

Simon bâilla à cette simple idée.

– Je ne sais pas comment tu peux écouter ces conneries à longueur de temps. En gros, c'est des gens qui te disent « Comme je suis fascinant, moi qui ai toutes ces drôles d'idées que vous devez interpréter ».

Amy mordit à nouveau dans sa branche de céleri imbibée de vin.

– Qu'est-ce qui te fait dire ça, toi qui n'as aucune expérience de ce qu'est une thérapie ?

– Tout ce que j'en sais, c'est toi qui me l'as appris.

Elle s'essuya les lèvres du plat de la main.

– À la fin de la séance, je me suis levée, ce qui était un signal pour elle, sauf qu'elle m'a balancé : « J'ai l'impression d'avoir à peine commencé. Je veux encore une heure. – Tenons-nous en à notre emploi du temps habituel », ai-je répondu. Elle a dit qu'elle me paierait double tarif pour une seconde séance. Elle mourait d'envie de continuer à parler d'elle, et j'ai pensé : voilà votre problème, à force de vous concentrer sur le moindre aspect de votre vie, vous vous dévorez vous-même. J'ai tenté de la raisonner, de la convaincre, de la forcer même, puis j'en ai conclu que j'avais tort, que je jouais son jeu, alors j'ai décroché le téléphone. Elle a pigé et s'en est allée.

– Bien joué, tu…

– Attends, ce n'est pas tout. Je suis allée à ma voiture, ai regardé dans le rétro, et elle était là, juste derrière moi. Si je n'avais pas jeté un coup d'œil, je l'aurais renversée.

Simon réfléchit à cette situation bizarre et au danger qui en résultait. Rouler sur quelqu'un était bien difficile à expliquer, même si la victime ne demandait que ça.

– Qu'est-ce que tu as fait ?

– Je me suis penchée par la portière pour lui parler, mais elle a posé ses mains sur ses oreilles. Alors j'ai donné un coup de Klaxon, et elle s'est enfin barrée.

Il leva son verre.

– Félicitations. Tu as gagné !

– Une thérapie n'est pas une question de pouvoir. Je ne dois pas rendre mes patients plus anxieux qu'ils ne le sont. Elle m'a prise par surprise, et j'ai mal réagi.

Il se pencha en avant pour l'embrasser sur le front.

– Je suis sûr que, la prochaine fois, tu l'attendras de pied ferme.

3

Le message sur la carte postale disait : « À quoi servent les enterrements ? Ils ne consolent personne. Si Dieu avait une infinité de possibilités au moment de la création, ne pouvait-Il vraiment rien trouver de mieux que la mort en guise de point final ? Fidèlement vôtre. »

La signature était illisible. La première lettre ressemblait à un F, ou à un P rachitique. Le reste n'était qu'une rangée de V inversés reliés entre eux, comme un dessin d'enfant représentant des vagues. Simon retourna la carte. « Great Salt Lake » était écrit en lettres criardes au-dessus d'une étendue d'eau uniforme. Sur le côté, était accroché un sachet blanc de la taille d'une empreinte de pouce portant l'inscription « Sel authentique de GSL ». Il le fit tourner entre ses doigts en regagnant la cuisine. Amy, assise devant la table, martelait le clavier de son ordinateur portable. C'était le jour où elle tapait les notes prises pendant ses séances.

Il attendit qu'elle lève les yeux.

– Est-ce qu'on connaît quelqu'un de Salt Lake ? Quelqu'un qui serait mort récemment ?

– Certainement pas par noyade. Là-bas, on peut quasiment s'asseoir sur l'eau.

– Je parle de la ville.

Simon lui mit la carte devant les yeux.

– Il y a matière à réflexion.

– Quoi ?

– Pourquoi Dieu a-t-Il créé la mort alors qu'Il avait une infinité de possibilités devant Lui ?

– Lesquelles ?

– Il aurait pu faire en sorte que tout le monde meure au même âge, ou sans douleur, ou s'arranger pour que les défunts apparaissent sous forme d'esprits pour nous rassurer et nous dire que tout va bien dans l'au-delà… ça, ç'aurait été vraiment chouette !

– Peut-être qu'Il a expérimenté toutes ces possibilités dans d'autres mondes. Nous, on a droit à celui où la mort est souvent douloureuse et où l'existence d'un au-delà reste incertaine.

Amy désigna la carte.

– Tu as vu qu'elle est adressée à *maître* Simon Howe ?

Il la regarda de plus près.

– Personne ne m'a appelé Maître depuis la mort de ma grand-mère. Elle a cessé de m'envoyer des cartes pour mon anniversaire.

Amy tendit la main pour appuyer sur le sachet de sel.

– Envoyer une carte postale de touriste à l'occasion d'un enterrement ? Ça ressemble à un coup de tes cousins.

Simon prit la carte et la glissa sous l'aimant en forme de poisson jaune collé au réfrigérateur, là où ils mettaient tout ce dont ils pourraient avoir besoin plus tard.

*

* *

Planté au milieu de ses journalistes réunis en demi-cercle, il écrivit « Idées d'articles » sur le chevalet. La pointe du feutre noir crissa sur le papier, laissant un vague relent chimique qui lui rappela l'école primaire. De l'autre côté de la fenêtre, Erasmus Hall, le prophète de l'apocalypse local, secouait une liasse de prospectus devant chaque passant. Sa litanie de « Repentez-vous ! » débités d'un ton râpeux, presque plaintif, filtrait par la vitre. Erasmus perdait peu à peu sa voix.

Une toux délibérée ramena Simon à la réalité.

– Alors, Barbara, dit-il à l'assistante d'édition, les conseillers municipaux ont fait quelque chose d'intéressant cette semaine ?

Barbara se leva et lissa sa jupe noire sur ses jambes.

– Ils viennent de faxer leur programme. Ils sont censés débattre de l'article sur la réunion du conseil municipal concernant les améliorations des terrains communaux, mais Jack Harris peut se pointer et faire tout un foin en prétendant qu'ils ont violé la loi sur les réunions publiques il y a quinze jours. La dernière fois, ils ont dû le jeter dehors.

Simon écrivit : « Chaos possible à la réunion des conseillers ».

– Que Ron vienne avec toi au cas où Harris débarquerait, dit-il. Cette fois, pas question de rater la photo des conseillers en train de l'expulser.

Simon se tourna vers Joe Amis, un jeune homme avec une aiguille de un centimètre traversant son oreille, qu'il tripotait nerveusement dès que quelqu'un le regardait.

– Où en es-tu avec les aperçus sur la réunion des anciens élèves ?

Joe tira sur son lobe.

– Ne le prenez pas mal, chef, mais votre classe était d'un ennui mortel. Tout ce dont se souviennent vos camarades, c'est le jour où quelqu'un a volé la cloche de l'école, ou monté un soutien-gorge sur le mât à la place du drapeau. Peut-être qu'après tout ce temps personne ne se rappelle rien d'intéressant…

– Ça ne fait que vingt-cinq ans.

Joe eut un sifflement.

– Bon sang, j'étais même pas né !

C'était vrai. À part Barbara, tout le monde avait au minimum dix ans de moins que leur rédac chef. Le journal n'avait pas les moyens de s'offrir la maturité et l'expérience, et ceux qui avaient l'un ou l'autre avaient mieux à faire que de travailler à Red Paint, Maine. Simon regarda la grande horloge de gare accrochée au mur, comme il le faisait par pur réflexe une demi-douzaine de fois par jour, bien qu'elle affichât 7 h 45 en permanence. Du matin ou du soir ? Quand le temps s'était-il arrêté au *Register* ?

Son regard revint à l'avant de la salle.

– Va trouver Holly Green à la banque, Joe. Elle était présidente de notre classe. Elle trouvera bien une ou deux anecdotes. Bon, Ellen, qu'est-ce que tu as pour la rubrique magazine ?

Une femme en jean et débardeur jaune se redressa sur sa chaise.

– Une femme habitant au 33 Larkspur Drive m'a appelée, déclara-t-elle en feuilletant son carnet noir de reporter. Elizabeth Nichols. Elle dit que la Vierge Marie lui est apparue dans sa cour.

Ellen eut un petit rire, Simon aussi, mais les autres gardèrent leur sérieux.

– J'imagine que vous n'étiez pas là lorsqu'elle s'est manifestée dans la chambre froide de Bay Market, remarqua-t-il. (Ils lui jetèrent un regard vide, confirmant sa présomption.) Donc, Ellen, sous quelle forme Marie a-t-elle choisi de se montrer cette fois-ci ?

Le visage de la journaliste se fronça, comme si elle imaginait le sort de la Vierge.

– Assise sur un amas de terre. Les Nichols voulaient faire construire un Jacuzzi thérapeutique pour leur fils… (Elle consulta de nouveau ses notes.) John. Le gamin qui s'est retrouvé paralysé des membres inférieurs après un accident de foot l'an dernier. Sa mère prétend qu'hier matin elle a entendu une voix lui disant d'aller regarder par la fenêtre de sa chambre, et la Vierge était là. Elle a demandé tout de suite aux ouvriers d'arrêter de creuser.

Donna, la femme la plus timide qu'il ait jamais embauché, leva la main, bien qu'il ait clairement expliqué que ce n'était pas nécessaire. Il l'encouragea d'un hochement de tête.

– Comment Mme Nichols peut-elle savoir que c'est bien la Vierge ? demanda-t-elle d'une voix si faible que tout le monde dut tendre l'oreille.

– Parce que depuis l'accident de son fils, elle a prié chaque jour que Dieu fait pour qu'Elle lui vienne en aide, répondit Ellen.

– CQFD, déclara Simon, ce qui arracha un petit rire à Ellen, sa seule spectatrice. Il faut croire qu'on est les seuls sceptiques dans cette salle.

Donna leva de nouveau la main et prit la parole avant qu'il la lui donne, ce qui, pensa-t-il, était un grand pas en avant.

– J'ai écrit l'article sur l'accident de Johnny, dit-elle. Sa colonne vertébrale était écrasée, si bien que les docteurs ne lui donnaient aucune chance. C'est un miracle qu'il ait survécu.

– Un miracle de la médecine, renchérit Simon. Mais la vraie question, c'est de savoir comment traiter cette apparition de la Vierge sur Larkspur. Est-ce qu'on traite le sujet sérieusement, ou on sous-entend que c'est juste une arnaque pour s'attirer du soutien et des dons ?

Les jeunes journalistes se regardèrent.

– Ce n'est peut-être ni l'un ni l'autre, suggéra Ellen. Peut-être que Mme Nichols ne voit que ce qu'elle veut voir.

– Je peux poser une question ?

Tous se tournèrent vers David Rigero, qui se tenait contre le mur opposé, un pied sur une chaise.

– Je sais que je ne suis pas journaliste, mais je me posais une question.

– Dis toujours, déclara Simon.

Rigero fixa Ellen d'un regard qui lui fit détourner les yeux.

– Est-ce que des gens de la paroisse locale vont la voir ?

– Par dizaines, répondit Ellen. Des familles entières.

– Alors pourquoi est-ce qu'ils vont chercher des miracles jusque dans la terre ?

Simon écrivit : « Red Paint en quête de miracles » sur le chevalet.

– C'est un bon angle. Ellen, il faudra que tu ailles interroger ceux qui font le pèlerinage jusqu'à sa maison, afin de découvrir pourquoi ils agissent ainsi. Et emmène David.

*

* *

Il décida de se faire sa propre opinion. À Red Paint, les miracles, même imaginaires, étaient rares. Il se dirigea vers l'ouest de la ville en empruntant Bay Loop, la route la plus longue, qui comportait tant de montées, de descentes et de virages que même ceux qui la connaissaient par cœur gardaient les deux mains sur le volant. Sur sa droite s'ouvrait la baie de Red Paint, une vaste étendue bleu-vert miroitant au soleil de cette fin d'après-midi. Lorsqu'il était enfant, avec ses neuf kilomètres de large, elle lui semblait aussi vaste que l'Océan lui-même.

À l'extrémité de la boucle, il tourna sur Larkspur. La rue était encombrée de voitures, si bien qu'il dut se garer un pâté de maisons plus loin. Lorsqu'il atteignit l'énorme maison coloniale qui occupait le numéro 33, les chercheurs de miracles s'alignaient sur l'étroit chemin de gravier. Des bandes adhésives jaunes de police s'étiraient le long du trottoir. Un panneau cloué sur un arbre indiquait le jardin derrière la maison. Dans la file, plusieurs femmes tripotaient des chapelets. Il entendit murmurer des « Je vous salue Marie, pleine de grâce… ». Après quelques minutes à piétiner, il tourna à l'angle pour aborder le jardin tondu de frais. Et là, il vit le monticule de terre, d'au moins trois mètres de haut, abrité par une sorte de baldaquin en toile blanche. Le panneau planté dans le sol disait : « Don du traiteur Devereaux ». À côté de la butte, une boîte en carton de la taille d'un ordinateur recueillait les « Bénédictions pour la Vierge ». La femme devant lui tira un billet de vingt dollars de sa poche et l'y jeta, puis elle se signa et embrassa le bout de ses doigts. Un type en costume d'homme d'affaires fit de même. Simon se pencha pour regarder dans le carton et vit un tapis de billets de dix et de vingt. Apparemment, les chercheurs de miracles avaient les moyens.

– Veuillez avancer, dit Mme Nichols depuis son poste à côté du monticule d'où elle régulait le trafic.

Ses cheveux étaient un peu plus gris que lorsqu'il l'avait interviewée après l'accident de son fils et elle avait pris du poids. Mais elle restait impressionnante, du haut de son mètre quatre-vingt-cinq qui ne faisait pas mine de se voûter. De toute évidence, sa taille ne la gênait pas. Il dut bien admettre que la terre avait la forme d'un visage, plus féminin que masculin, même s'il n'aurait su dire en quoi. Une petite pierre prenait la place du nez, et il y avait deux vagues creux là où les yeux auraient dû se trouver. Mais si c'était la Vierge Marie, pour autant qu'il puisse voir, elle n'avait ni cheveux ni oreilles et pas beaucoup de menton.

Mme Nichols toucha son épaule.

– Si vous voulez vous attarder, faites un pas en arrière. (Simon allait s'exécuter lorsqu'elle lui prit le bras.) Monsieur Howe ! Je ne vous avais pas reconnu !

– Content de vous revoir, madame Nichols. Comment va John ?

Elle leva les yeux vers la fenêtre du premier étage, d'où le garçon regardait ce qui se passait dans la cour. Un visage rond et rougeaud, un crâne rasé.

– Il s'en sort bien. Maintenant, il a l'impression que chaque jour est une bénédiction.

Simon se surprit à acquiescer, mais que reconnaissait-il ainsi, une intervention divine dans ce jardin, cette maison, chez ce garçon paralysé ? Une femme se pressa contre lui et le poussa légèrement.

– Vous attirez pas mal de monde, remarqua-t-il en s'écartant de son chemin.

– Channel 13 va venir ce soir de Portland. Ils disent que CBS peut reprendre l'émission et la diffuser dans tout le pays. On va être envahis, mais je ne pouvais pas garder ça pour moi et Johnny. Ça ne serait pas correct. (Elle lâcha son bras.) Je suis désolée de ne pas avoir donné l'exclusivité au *Register*. Mais vous êtes le premier que j'ai appelé.

– Je comprends.

Mme Nichols ferma les yeux.

– Vous le sentez ?

– Quoi ?

– L'esprit de Notre-Dame.

Simon se tourna vers la pyramide de terre. Maintenant, la Vierge semblait lui sourire.

4

Fox Run[1] était silencieuse. Debout à l'entrée de son jardin, son courrier à la main, Simon tendait l'oreille. Où étaient les voitures en excès de vitesse, les mères rappelant leurs enfants égarés, les ados grossiers sillonnant le trottoir sur leurs skates ? Où étaient les ratés de moteurs claquant comme des coups de feu et vice versa ? Où couraient les renards ? La rue était anormalement paisible, même pour Red Paint. Il suivit l'allée pavée d'ardoise menant à sa maison, pensant encore à ce monticule de terre magique. Il scruta les rangées de pins blancs s'étendant de chaque côté du jardin, cherchant quelque chose d'inattendu, la suggestion d'un message imprimé sur la nature elle-même. Il ne vit que des branches décharnées ayant désespérément besoin d'un bon élagage.

Il ouvrit la porte et cria pour signaler son arrivée, comme il le faisait à chaque fois, étirant le mot de façon absurde au bénéfice de Davey :

– Hellooooooooooo !

Son fils jaillit de la cuisine, un biscuit Oreo entre les dents. Ses baskets étaient délacées,

1. Nom de rue, littéralement : le cours des Renards.

son T-shirt déchiré au niveau du cou. Il s'arrêta dans un dérapage contrôlé et cracha son gâteau dans sa main.

– T'as quelque chose pour moi, p'pa ?

Ses traits se tordaient dans tous les sens comme s'il passait une audition pour un rôle de clown.

– Non, et si tu continues à faire des grimaces, un jour tu resteras figé comme ça, ce qui ne t'avantagera guère lorsque tu seras en âge de t'intéresser aux filles.

– J'ai déjà une copine, répondit Davey en suçant son Oreo.

– Depuis quand ?

– Un certain temps.

– Comment s'appelle-t-elle ?

Davey se mordit la lèvre, ses incisives bougeant d'un côté et de l'autre comme une scie. Une manie récente.

– Tu ne vas pas appeler ses parents ou j'sais pas quoi ?

– Je veux juste savoir avec qui tu traînes.

Davey passa ses doigts dans ses cheveux, les faisant rebiquer.

– C'est Tina.

Il tourna les talons pour s'en aller avant de devoir répondre à d'autres questions.

– Hé ! lança Simon, tu as encore oublié de tondre la pelouse !

– Je sais, répondit le garçon d'un ton las, comme s'il confirmait une évidence. J'étais trop occupé à faire disparaître des trucs.

– Ou plutôt faire comme s'ils disparaissaient.

Davey tira un bandana bleu de sa poche.

– Ouais, genre des pièces et des œufs. J'ai essayé avec Casper, mais elle veut pas rester tranquille.

Il ouvrit sa main droite pour dévoiler une petite pièce de monnaie. Il l'enveloppa dans le bandana, puis tira dessus. Sa paume était vide.

– Cool, hein ?

Il courut dans le couloir, dépassant Amy qui lui caressa l'épaule au passage. Dès qu'il était à sa portée, elle ne pouvait s'en empêcher. Simon se demanda s'il devait en faire autant, ou si c'était une attention exclusivement maternelle.

Elle indiqua du menton le courrier qu'il tenait en main.

– Autre chose que des factures ?

Il secoua la tête.

– Parfois, j'ai l'impression d'avoir un fils bien étrange.

Amy regarda derrière elle, mais Davey était déjà parti.

– Il m'a l'air tout à fait normal.

– Tu ne trouves pas bizarre qu'il passe ses journées enfermé, à chercher à faire disparaître tout ce qui lui tombe sous la main ?

– C'est toi qui lui as offert ce livre de magie.

Simon posa le courrier sur la table du vestibule. Il sentit alors la surface rigide d'une carte postale. Il la tira de sous les enveloppes et vit une immense grande roue portant l'inscription « Exposition colombienne, Chicago, 1882 ». Il lut le message à voix haute : « Salutations de la ville d'Al Capone. Aujourd'hui, j'ai vu un de ces adages que tout le monde est censé croire. Il dit : "Attends-toi au pire et tu ne seras jamais déçu." Fidèlement vôtre… »

Amy lui toucha le bras.

– Ça devient angoissant, Simon…

Il lut à nouveau le message.

– Juste un peu de philosophie…

– Recevoir d'étranges messages par la poste ne te dérange pas ?

– L'envoyeur a dû me confondre avec quelqu'un d'autre.

– D'après toi, il y a combien de Simon Howe dans le Maine ?

– Au moins deux, apparemment.

Elle se dirigea vers la cuisine, et il la suivit.

– Alors, dit-il pendant qu'elle prenait une éponge pour essuyer le plan de travail, tu ne me demandes pas de quoi parlera mon grand article de la semaine ?

– De quoi parlera ton grand article de la semaine, Simon ?

– De la Vierge Marie.

– Elle est revenue ?

– Ouaip ! Dans un jardin de Larkspur, posée sur un monticule de terre.

Amy sortit des placards des casseroles de différentes tailles en les faisant s'entrechoquer. Ce n'était pas une cuisinière hors pair, mais elle était rapide.

– Cette terre lui ressemble davantage que la glace du congélateur ?

– Pour moi, ça ressemble autant à un visage que Jean de la Lune. Si tu veux y voir la Vierge Marie, tu peux.

Amy ouvrit le réfrigérateur et farfouilla sur les étagères chargées à craquer jusqu'à ce qu'elle trouve ce qu'elle cherchait. Elle laissa la porte ouverte, et Simon la referma du bout du pied.

– On pourrait croire qu'en termes de miracles les gens seraient un peu plus exigeants et ne se contenteraient pas d'un monceau de terre.

– Et tu vas en faire un article ?

– Il le faut. La queue des visiteurs déborde déjà sur la rue.

– Pourquoi ne pas demander au père Elliott de déclarer que c'est un canular ? Tu sais comme moi que ces histoires le gênent.

Simon tira un tabouret de sous le comptoir et posa une fesse dessus.

– On en a discuté la dernière fois. En privé, il me dit que c'est des conneries, mais publiquement il raconte que l'Église a un processus rigoureux visant à authentifier les miracles et qu'il se réjouit de voir tous ces braves gens témoigner leur foi.

Amy aligna des céleris sur sa planche à découper, puis les trancha en sections de un centimètre. Il s'étonnait toujours de voir à quel point elle approchait la lame de ses doigts sans jamais se couper.

– Une foi aveugle, remarqua-t-elle en faisant glisser les céleris dans une casserole.

– Laquelle ne l'est pas ?

Simon se pencha pour caresser le dos de Casper, qui mangeait dans sa gamelle. Le chat tourna brusquement la tête en signe d'avertissement. Il retira sa main.

– Je l'appellerai peut-être « Notre-Dame de Red Paint » en corps soixante au-dessus d'une photo.

Ça nous situerait sur la carte. En fait, on pourrait vendre de la terre de Red Paint. Voilà qui relancerait l'industrie locale. La chambre de commerce adorerait.

– Que va-t-il se passer lorsqu'il pleuvra ?

– Ils ont installé un toit. Et je suis sûr qu'ils retraceront ses traits chaque nuit. Si Mme Nichols a ce qu'elle veut, je crois que la Vierge est là pour un bout de temps. Elle ne la lâchera pas facilement.

Amy renversa un Tupperware, déposant son contenu sur une assiette. Le reste de riz s'abattit en une masse compacte qu'elle aplatit avec une cuillère en bois.

– Et tu oses dire qu'il ne se passe jamais rien à Red Paint !

5

Pour Simon, l'idée de se voir honoré par la section de Red Paint du Rotary Club avait quelque chose de déprimant. Était-ce le couronnement de sa carrière de journaliste ? Ne pouvait-il espérer mieux ? Il était rédacteur en chef du journal hebdomadaire d'une ville dont le seul titre de gloire était les coquilles que les Indiens qui habitaient le coin avant sa création avaient laissées dans le sable, les restes de leurs grands festins, et leurs morts qu'ils peinturluraient avec de l'ocre. Et un millier d'années plus tard, il était assis sur une estrade au restaurant Bayswater Inn, à regarder cinquante Rotariens plonger leurs fourchettes dans leurs tartes à la bostonienne. Et il entendait chanter ses louanges en des termes qui sonnaient un peu trop comme un éloge funèbre.

– Il y a dix ans, le *Register* était en faillite, continua Jim Concannon, le président du Rotary. Red Paint risquait de perdre sa voix. Après la mort de ses parents, Simon Howe abandonna une carrière prometteuse de reporter à Portland pour retrouver ses racines. Nous savons tous qu'il a investi son héritage dans le journal et payé ses dettes. Être rédacteur en chef de l'hebdo d'une petite ville n'a rien de très glamour. Je suis sûr qu'à un moment ou à un autre, nous l'avons tous appelé pour nous plaindre d'un de ses sujets… ou de son absence.

Des petits rires s'élevèrent aux quatre coins de la salle. Simon sourit comme pour dire « Sans rancune ».

– Aujourd'hui, continua Concannon, nous honorons Simon Greenleaf de la médaille du Rotary pour services rendus à notre communauté.

Simon se leva et murmura : « Merci pour ce discours » à l'oreille du président. Il dut attendre un moment que les applaudissements cessent. Il scruta la douzaine de tables où trônaient quatre ou cinq hommes d'affaires du coin. Il les connaissait presque tous, de vue ou de nom, même ceux qu'il n'avait encore jamais rencontrés.

– J'ai commencé à travailler au *Register* comme livreur de journaux, commença-t-il. J'avais dix ans. J'ai dû balancer mes feuilles de chou sous les voitures de quelques-uns d'entre vous. (Il but une gorgée d'eau, le temps que les rires s'arrêtent.) Le président Concannon m'a proposé de faire un rappel des titres les plus mémorables que nous ayons publiés au fil des années. Je me souviens de cette une : « Un rebut de l'université coupé en deux ». Voilà qui me semble un peu draconien. Il y avait également : « Dans cette affaire de meurtre, la police soupçonne un coupable ». On ne peut rien cacher aux limiers de Red Paint. (Tout le monde se tourna vers Garrity, le chef de la police, qui sourit et agita la main.) Nos colonnes fracassantes n'ont pas non plus épargné les doyens de l'école. Il y a quelques années, nous avons eu pour gros titre : « Une initiative vise à éradiquer le lettrisme ».

Maintenant, les Rotariens s'esclaffaient sans retenue, comme il s'y attendait. Tout le monde adorait voir exposer les erreurs des autres.

– Pour être franc, reprit-il, lorsque j'ai acheté le *Register*, je ne savais pas dans quoi je m'engageais. J'ai vite appris qu'un journal n'est pas que la chronique de vies individuelles – les naissances, le sport à l'école, les mariages et les promotions, les rapports de police et des pompiers et, finalement, la rubrique nécrologique. Un bon journal est un tableau de la ville elle-même. Parfois, le portrait n'est guère flatteur et ne correspond pas à l'image que vous aimeriez regarder – quand des ados cassent les pierres tombales au cimetière des vétérans, par exemple, ou la bagarre de l'an dernier, lors du match de hockey. Mais au final, il y a beaucoup de bonnes choses à Red Paint, et nous nous attachons à les rendre visibles. Bien sûr, nous ne racontons qu'une partie de l'histoire. Une part importante de la vie se déroule en famille, dans les églises, les bureaux, les boutiques, loin de nos journalistes et photographes. Et c'est dans l'ordre des choses. Le *Register* s'efforce de refléter la vie publique de notre ville avec précision et sincérité, comme tout journal communautaire d'Amérique.

Simon fit un pas pour descendre de l'estrade. Jusqu'à présent, il n'avait pas réalisé à quel point son discours était bref. Les Rotariens le dévisagèrent en attendant la suite. Enfin, Concannon se leva, déclenchant des salves d'applaudissements.

*

* *

Lorsqu'il ouvrit la porte, Amy était là, dans le vestibule, agitant une carte postale géante.

– Ton correspondant anonyme a récidivé.

Simon posa sa sacoche et desserra sa cravate. Il serra son épouse contre son cœur et huma sa délicieuse odeur de citron, ou de pamplemousse. Il ne parvenait jamais à se souvenir du nom de son parfum.

– Celle-là représente la *Liberty Bell*, dit-elle. Notre ami se rapproche.

– Il n'a couvert que trois villes : Salt Lake City, Chicago et maintenant Philadelphie. Ça n'en fait pas un schéma.

– Oh, que si ! Deux occurrences ne signifient rien. Trois forment un schéma.

– Bon, alors, quel est le message cette fois-ci ?

Elle le lut avec emphase, comme s'il s'agissait d'une réplique dans une pièce de théâtre : « Il y a bien longtemps, vous m'avez appris une leçon de grande valeur. Maintenant, je peux vous rendre la pareille. Présentez-vous au restaurant River View, à Bath, le 2 juillet à 19 heures. Fidèlement vôtre… »

– Donc, remarqua Simon en retirant sa veste, peut-être qu'il a effectivement un but.

– Lequel ?

– Mettons que, dans ma grande générosité, j'ai rendu service à quelqu'un, et maintenant il veut m'en remercier. Le mystère sera résolu le 2 juillet à 19 heures.

Amy inspecta le message d'un peu plus près.

– C'est ambigu. « Rendre la pareille » peut signifier qu'il veut se venger.

– Qu'est-ce qui te fait croire ça ?

– Tu es journaliste. Les articles que tu publies dans le *Register* ne sont pas toujours positifs. Comme cette liste des délinquants sexuels du mois dernier. Elle était truffée d'erreurs que tu as dû corriger la semaine d'après.

– Il y avait deux erreurs dans la classification des peines, et ce n'était même pas notre faute. L'État nous a donné des informations erronées.

– Et pourtant, quelqu'un qui se trouverait sur cette liste pourrait te tenir pour responsable d'avoir gâché sa réputation et vouloir se venger.

– Et tu crois qu'il suivrait un plan aussi élaboré, commençant à Salt Lake City, puis me faisant savoir à chaque étape qu'il ne cesse de se rapprocher ?

– Une vengeance est souvent complexe. Ça fait partie du plaisir. Tu la savoures tout le temps que tu passes à la planifier.

Simon chercha un cintre dans le placard du vestibule, en vain. Il lui aurait bien demandé pourquoi il n'y en avait jamais assez, mais ça aurait signifié qu'elle était préposée à l'équipement des armoires. Il posa sa veste sur une autre déjà suspendue et se retourna.

– Depuis quand es-tu une experte en matière de vengeance ?

Elle lui tendit la carte postale.

– Je suis une experte en matière de gens, et je crois que tu ne devrais pas aller voir cette personne.

– Il ne va rien se passer.

– Ce restaurant de River View a de grandes vitres panoramiques. Quelqu'un pourrait te tirer dessus depuis l'extérieur.

L'idée de servir de cible amusa Simon. Était-il tombé dans un mauvais polar ?

– Je m'installerai le plus loin possible des fenêtres. Ça te va ?

– Je ne plaisante pas, Simon. Tu ignores qui est ce type et ce qu'il veut.

– Parce que, dans ton esprit, c'est forcément un homme ?

Elle désigna l'écriture.

– Regarde la taille des lettres et la façon dont les mots se pressent à la fin de la ligne. Une femme n'écrirait pas comme ça.

– Le désordre est un trait masculin ?

– Sur une carte postale, oui.

– Bon, d'accord, j'imagine que répondre à un message anonyme n'est pas totalement sans danger. Mais ça peut faire une jolie chronique pour le journal. Je vais aller voir cet *homme*.

– Alors je viens avec toi.

– Tu n'es pas invitée.

– Je viens tout de même.

Comme il savait qu'elle n'en démordrait pas, Simon se contenta de hocher la tête, puis se dirigea vers l'escalier.

– Et ton discours ? lança-t-elle.

– J'ai fait un triomphe, répondit-il en montant les marches. Ils m'ont fait une ovation. Ils se sont tous levés pour m'acclamer, si on compte les employés qui attendaient que j'aie fini pour débarrasser les tables. Au moins, ils étaient debout.

– Je suis sûre que tu les as achevés.

*

* *

Davey était en retard pour le dîner, ce qui ne lui ressemblait guère. Il était toujours à l'heure lorsqu'il s'agissait de se remplir le ventre.

– Il est peut-être derrière, à taper dans son ballon, suggéra Amy en mettant le couvert.

Simon ouvrit la porte pour scruter le jardin au moment où un véhicule de la police de Red Paint s'arrêtait dans l'allée. Toutes sortes de possibilités défilèrent dans son esprit : Davey renversé par une voiture, Davey surpris à voler dans un magasin, Davey buvant de l'alcool ou fumant une cigarette. Simon courut vers la voiture et vit son fils assis sur la banquette arrière, les bras croisés, regardant droit devant lui, le visage figé en une expression farouche, comme un criminel qui ne comprend pas qu'on le traite ainsi.

Jim Daly, l'officier le plus âgé du commissariat de Red Paint, descendit du côté conducteur.

– Tout va bien, Simon. Votre fils s'est juste retrouvé mêlé à une bousculade sur la place, et j'ai préféré vous le ramener.

Daly ouvrit la portière arrière. Davey se laissa glisser de la banquette, la tête basse. Simon s'accroupit pour se trouver à hauteur des yeux de son fils. Il ne vit ni bleus ni plaies apparentes. Ses vêtements n'étaient pas déchirés. En fait, rien ne permettait de dire qu'il s'était bagarré. Simon en conçut une certaine fierté. Apparemment, Davey ne s'était pas laissé faire.

– Ça va ?

– Ouais.

Oui, pensa Simon, *pour une fois dans ta vie, réponds oui.*

– Que s'est-il passé ?

Davey donna des coups de pied dans le gravier. Simon leva les yeux pour regarder le policier.

– Et si vous l'envoyiez à l'intérieur, qu'on puisse parler ?

– Va te laver les mains pour dîner, Davey. Tu es en retard, maman s'est fait du souci.

– Ce n'est rien de bien méchant, reprit Daly alors que le gamin partait d'un pas traînant. Je passais devant le kiosque à musique lorsque j'ai vu des gamins qui se bagarraient. Je les ai séparés et me suis dit qu'il valait mieux que je vous ramène Davey.

– L'autre gosse va bien ?

Daly se frotta le visage.

– En fait, c'était une fille.

– Une fille ?

– Tina Squires. Elle est sacrément costaude, croyez-moi. Si elle lui avait donné un coup de poing, ça aurait fait du dégât.

Simon tenta de s'imaginer la scène.

– Vous êtes en train de me dire que mon fils se bagarrait avec une fille ?

Le policier acquiesça.

– Apparemment, elle l'a traité d'avorton.

C'était la pire insulte qu'on puisse balancer au deuxième garçon le plus petit de sa classe. Et elle ne venait pas d'une fille comme les autres, mais de sa petite amie.

– Les enfants peuvent être cruels, remarqua Daly. Ça n'a pas changé depuis mon temps. Et pourtant…

– Oui, reprit Simon. Et pourtant.

6

Simon regarda les chemisettes alignées dans son placard. Il prit la verte à rayures qu'il portait souvent au bureau, puis la replaça sur son cintre. Il se décida pour une chemise de lin bleu, celle qu'il mettait pour sortir dîner avec Amy, et la tint devant lui.

– D'après toi, elle fait trop habillée ou juste assez ?

Elle s'appuya sur son épaule pour enfiler une chaussure.

– On va à Bath, au restaurant River View. Tu pourrais y aller en survêtement, ce serait encore trop habillé.

Il rangea la chemise et opta pour une autre de coton noir, basique au possible.

– Après tout, ce type a peut-être apporté une caméra pour immortaliser le moment où il me donnera un chèque de mille dollars pour ce fameux service rendu. Il faut que je sois à la hauteur.

Il enfila sa chemise. Elle s'humecta un doigt et frotta une petite tache entre deux boutons.

– J'aimerais bien que tu changes d'avis.

– Si quelqu'un voulait me descendre, il n'aurait pas besoin de m'attirer à Bath. Il n'aurait qu'à se poster sur Mechanic Street et me flinguer à travers les fenêtres.

– Oh, voilà qui est rassurant !

Il l'attira contre lui et sentit son corps pressé contre le sien. Il aimait sa tonicité. Elle n'avait rien de frêle ni de cassant. Elle ne se briserait pas facilement, mais elle pouvait se faire un sang d'encre.

– Je n'ai pas besoin d'un garde du corps, dit-il.

– Si tu y vas, moi aussi.

Il se détacha d'elle.

– Alors allons-y !

*

* *

Simon ramassa les clés de voiture posées sur la table et lança :

– Davey ? On y va.

Le gamin sauta du haut des escaliers comme s'il s'y cachait en attendant ce moment.

– À plus !

Il remit ses écouteurs sur ses oreilles. Amy lui fit signe de les retirer.

– Regarde la porte de derrière de temps en temps pour voir si Casper est rentrée et n'oublie pas de mettre des croquettes dans sa gamelle.

– Ouais, m'man.

– Et n'oublie pas non plus que tu es privé de sortie.

– Je m'en souviendrai.

– On va au restaurant River View, à Bath. J'ai laissé mon numéro de portable sur la table de la cuisine.

– Je connais ton numéro, m'man.

– En cas de problème, va trouver nos voisins les Benedetti. Ils sont toujours chez eux.

– Je croyais que j'étais privé de sortie.

– S'il y a urgence, la sentence est suspendue jusqu'à ce que tu arrives chez eux. Je t'ai mis des nuggets de poulets dans le micro-ondes. Fais-les chauffer deux minutes.

– Ouais.

– Et n'oublie pas…

Simon lui prit le bras.

– Tu as fini ?

– Presque.

Elle leva les yeux pour donner ses dernières instructions, mais Davey avait disparu.

*

* *

Sur la longue route sinueuse qui menait à Bath, Simon s'imagina le moment où il ouvrirait les portes du River View. Tous les yeux se tourneraient vers lui. Tout le monde serait dans le coup. Il étudierait la foule, d'un visage à l'autre, jusqu'à ce que l'un d'entre eux se détache du lot. Il le désignerait et dirait en éclatant de rire : « Vous ? C'est une blague ou quoi ? ». Alors tout lui reviendrait, ce geste qu'il avait fait, cet acte qui lui avait semblé si minuscule à l'époque, mais qui avait changé sa vie.

Amy prit son sac à main et en tira un tube de rouge à lèvres.

– Tu crois qu'on s'est montrés trop durs avec Davey ?

– Trop durs ? Il a frappé une fille. Une *fille* !

Amy posa le tube contre ses lèvres.

– Il a précisé qu'il s'était contenté de la pousser, que c'est elle qui l'avait provoqué.

– N'empêche, on ne peut pas le laisser brutaliser des filles.

– Mais des garçons, c'est bon ?

– Dans certaines circonstances, je dirais que oui, en cas de provocation, c'est une réponse appropriée.

– J'imagine que ce n'est pas ce que tu lui as dit.

– J'ai bien spécifié qu'il ne devait pousser ou frapper personne. Je ne sais pas quelle mouche l'a piqué. Il ne cesse d'errer dans la maison en donnant des coups de poing dans le vide.

– C'est l'été. Voilà ce qui le travaille.

– On aurait dû l'envoyer en colonie de vacances. Il a prétendu vouloir rester et se faire de l'argent de poche en tondant des pelouses, mais il n'a fait que celle des Benedetti. Il se contente de traîner et d'essayer de faire disparaître Casper.

– Au moins, remarqua Amy, il n'y est pas arrivé. C'est déjà ça !

*

* *

Un jour, le restaurant « panoramique » River View avait mérité son nom : le fleuve Kennebec coulait à une cinquantaine de mètres de là, juste devant ses fenêtres. Maintenant, elles ne donnaient plus que sur les briques rouges de la résidence de Riverside Luxury, fichée de biais sur l'étroite bande de terre autrefois en friche. Simon et Amy s'installèrent à une petite table pour deux, à une rangée de la fenêtre, et commandèrent deux bières Molson Ale. À chaque fois qu'un homme entrait, ils se regardaient et secouaient la tête. Trop passif, trop joyeux, trop peu d'imagination. Certainement pas un ange de la vengeance.

Amy lui prit les mains.

– Même si personne ne vient, c'est bon d'avoir un peu de temps pour nous.

Simon scruta les deux côtés du River View : sur la droite, derrière une cloison basse, la cuisine embuée où les cuistots papotaient entre eux dans une langue indéchiffrable ; et sur la gauche, un mur vert tendre décoré de photos de poissons.

– Si j'avais eu le choix, j'aurais cherché plus romantique.

Une jeune serveuse s'approcha, son bloc-notes en main.

– Vous attendez toujours le troisième ?

Amy consulta sa montre.

– Il est 19 h 40, Simon. On ne devrait pas rester ici sans commander. D'autres attendent la table.

– Des gens qui attendent au River View, voilà qui défie la logique, répondit-il, puis il se souvint de la serveuse. Je veux dire, c'est étonnant qu'il y ait tant de monde un jeudi soir.

– On est complet tous les soirs. Alors, je peux prendre votre commande ?

– Pour moi, ce sera le pain de viande, déclara Amy.

– Très bien. Et vous, monsieur ?

Simon se gratta la tête.

– Le pain de viande ?
– À Rome, faisons comme les Romains.
– Bien, alors mettons, la même chose.
– Tu es déçu, remarqua Amy pendant que la serveuse repartait.
– Je croyais que ce serait marrant, que ça nous changerait de notre train-train. Et nous voilà, assis dans le plus mauvais restaurant à cent kilomètres à la ronde, nous apprêtant à manger du pain de viande. Quelle blague !
Amy jeta un coup d'œil circulaire.
– Si c'est une blague, celui qui l'a faite doit être là, à nous regarder. Sinon, comment pourrait-il en profiter ?
– Bien vu…
Ils regardèrent les autres convives par-dessus leurs épaules respectives.
– On peut rayer de la liste les couples et les familles, c'est probablement un homme seul. (Amy indiqua le bar du menton.) Ne regarde pas tout de suite, mais pourquoi pas le type derrière toi avec un sac sur les genoux ? Il contient peut-être tes mille dollars de récompense en petites coupures.
Simon fit comme s'il lorgnait l'horloge murale.
– Non, jugea-t-il en se retournant, trop…
– Attends ! s'écria Amy. Le voilà.
L'homme se dirigea vers leur table, serrant sa sacoche en cuir contre sa poitrine, et salua Amy d'un hochement de tête.
– Je n'ai pas pu m'empêcher de voir que vous me regardiez. On se connaît ?
– J'en doute, répondit-elle, mais c'est marrant, parce que je croyais que c'était vous qui nous

regardiez, et je me posais justement la même question.

– Je suis sûr que non.

L'homme inclina la tête, puis s'en alla.

– Ça peut toujours être lui, déclara Amy en se penchant pour voir l'inconnu pousser la porte de sortie. On devrait peut-être le suivre et noter le numéro de sa plaque minéralogique.

– Pour quoi faire ?

– Tu pourrais demander à ton contact au service des immatriculations de nous dire à qui elle appartient.

Simon vida son verre d'eau.

– Si c'est lui notre mystérieux envoyeur de cartes, fini de rigoler !

7

Il est assis, immobile, dans une Chevy Lumina marron, la voiture la plus passe-partout qui soit. Un exemplaire du *Register* plié repose sur ses genoux. Tout en lorgnant les hommes qui se dirigent vers le River View, il jette un coup d'œil à l'éditorial intitulé « Tirer les choses au clair ». Dix-neuf heures viennent de sonner lorsqu'une Toyota blanche entre dans le parking et se gare un peu plus loin. Le conducteur en descend et tente de distinguer le fleuve entre les bâtiments. Cette fois, il n'a pas besoin de regarder les photos. Même à cette distance, l'homme dans la Chevy peut le reconnaître. Son visage s'empourpre, son cœur s'emballe. Peut-il aller jusqu'au bout ? Mais de quoi exactement ? Il n'a pas pensé à ce qui suivrait ce moment, devant un restaurant banal à pleurer, assis dans une voiture de location oubliable, à attendre son invité. *Mon Dieu, que vais-je faire maintenant ? Le savez-Vous ?*

Une portière claque. Puis une autre. Il se penche en avant et voit une femme mince, aux cheveux noirs, marcher aux côtés de Simon Howe. Ils passent devant la Lumina sans se rendre compte qu'il y a quelqu'un à son volant, quelqu'un qui les surveille. Comment peut-on être aussi aveugle en présence d'un danger ? Elle lui chuchote quelque chose à l'oreille, et ils se prennent la main comme des écoliers à un bal. En quelques secondes, ils atteignent l'entrée du restaurant. Ils y entrent, s'entretiennent avec l'hôtesse devant les grandes fenêtres. L'homme dans la voiture lève la main droite, l'index pointé sur la cible, le pouce ramené en arrière. Ce serait si facile de tuer quelqu'un. Ce n'est jamais une question de motivation ni d'opportunité. Seulement de volonté.

Il ne s'attendait pas à ce qu'ils soient deux. Ça le perturbe. Il s'est toujours imaginé qu'à ce stade la providence guiderait son bras, d'une façon ou d'une autre. Il ferme les yeux et se masse les tempes. Il fait le vide dans son esprit, laissant ses pensées se dissoudre dans le néant, et attend qu'une petite voix, *la* petite voix, murmure à son oreille.

Une minute plus tard, sa main tourne la clé de contact, et la Lumina démarre dans un grondement.

*

* *

La maison sur Fox Run est plus petite qu'il ne l'aurait cru, de taille moyenne pour Red Paint, avec des buissons rabougris sur le devant et une pelouse ayant besoin d'un coup de tondeuse. Une demeure mal entretenue. Si c'était la sienne, il en prendrait soin, il tondrait la pelouse, taillerait les plantes, peindrait les tuiles écaillées. Les gens ne méritent pas ce dont ils ne prennent pas la peine de s'occuper. Il sort de voiture, regarde d'un côté et de l'autre la rue baignant dans la clarté jaune brumeuse des réverbères. Bizarre comme tout est différent au crépuscule. Le buisson dans le jardin du voisin ressemble à un énorme moine encapuchonné attendant les vêpres pour traverser la pelouse. Un autre, à un crâne aux cheveux hirsutes. À une heure si tardive, on ne peut jamais être sûr de ce qu'on voit. De la musique flotte dans l'air, une radio ou une télévision, et un chien aboie à intervalles réguliers comme pour demander qu'on le laisse sortir. Il pourrait être dans la maison qui s'étend devant lui, un molosse dressé à attaquer. Mais l'homme ne se laisse pas décourager. Il traverse la rue et s'engage dans l'allée aux dalles inégales. Un chien ? Il devra faire attention, c'est tout.

La porte de devant est peinte en bleu marine, une couleur relaxante. Il inspire profondément et tourne la poignée. Celle-ci bouge un peu, lui donnant espoir, mais se bloque aussitôt. Lorsqu'il était enfant, dans cette ville, les gens ne fermaient jamais leurs portes. Qu'est-ce qui les rend si prudents aujourd'hui ? *Moi. Je suis l'imprévu, celui dont ils veulent se protéger.* Un faisceau de lumière l'éclaire. Il se retourne pour voir une voiture de police s'avancer à vitesse réduite. Il ne peut voir les agents à l'intérieur, mais leur fait un signe de la main au cas où ils le regarderaient. Quelqu'un qui salue ne peut être suspect. Et s'ils s'arrêtent pour l'interroger, ça ne sera pas grave. « Je suis venu voir un vieux pote d'école, leur dira-t-il. Mais il semble qu'il n'est pas chez lui. » Et c'est la stricte vérité, ou presque. La voiture vire à l'angle de la rue et disparaît.

Il se tourne vers la maison d'à côté et la lumière qui brille au premier étage. Il se demande s'il ne devrait pas passer par l'allée qui se faufile entre les deux maisons ; essayer d'ouvrir la porte latérale ou celle de la cuisine, tester les cloisons, ou bien trouver une fenêtre ouverte. Mais il est encore tôt, et un voisin pourrait le voir. Quelle excuse lui donnerait-il ? Une porte s'ouvre à l'arrière de la maison, un écran antimoustique claque. Il se fige et attend toute une minute, cherchant à comprendre ce que signifie ce bruit. Il fait quelques pas et jette un coup d'œil de l'autre côté du pavillon. Dans le jardin, quelque chose de petit et rapide file sur l'herbe sombre.

8

– Davey ! cria Simon en s'engageant dans le vestibule. On est rentrés ! Davey ?

Amy posa son sac sur la table.

– Il doit avoir ses écouteurs sur les oreilles.

Simon la regarda monter l'escalier. Il aimait la façon dont elle se déplaçait, sans effort apparent. Elle disparut un moment, puis s'appuya contre la rambarde.

– Il n'est pas là.

– Il est peut-être dans notre chambre, devant la télé.

– J'ai déjà regardé, répondit-elle en descendant les marches. Le sous-sol, peut-être ?

Elle s'empressa d'aller ouvrir la porte de la cave.

– Davey ? Tu es là en bas ?

– Il aurait allumé les lumières, remarqua Simon. Il a peur du noir.

Elle appuya sur l'interrupteur et emprunta l'escalier.

– Davey ?

Ils attendirent sa réponse, mais Simon se dit qu'ils devraient plutôt être à l'affût d'un gémissement, un grattement ou tout autre bruit incongru.

Amy remonta et ferma la porte derrière elle. Simon tenta d'avoir l'air nonchalant.

– Il est peut-être allé faire un tour à pied.

– Davey ?

– Bon, alors à vélo ?

– Il fait nuit et sa bicyclette est dans la cour. Je l'ai vue en arrivant.

Simon alla à la fenêtre pour regarder la maison d'à côté. Il y avait de la lumière au premier, comme toujours ; une vision réconfortante.

– Peut-être qu'un bruit quelconque lui a fait peur et qu'il est allé chez les Benedetti, comme on le lui a conseillé. Je leur passe un coup de fil.

Il décrocha le téléphone et composa le numéro en tentant de ne pas se précipiter. Elle ne le quittait pas des yeux.

– Bonsoir, Bob, c'est Simon, votre voisin. David n'est pas chez vous, par hasard ? (Simon secoua la tête pour qu'Amy puisse voir la réponse.) Non, rien de grave. On vient de rentrer, et il n'est pas là. On s'est dit qu'il pouvait avoir pris peur et s'être réfugié chez vous. Mais il doit être allé voir un pote.

Simon raccrocha.

– Bien, passons en revue les possibilités.

Elle se contenta de le dévisager. Apparemment, elle lui laissait la responsabilité d'imaginer une raison plausible à l'absence de leur fils, pourtant privé de sortie.

– Il peut être à la recherche de Casper.

– Elle dort sur son lit.

– Peut-être qu'un ami l'a appelé pour lui demander de passer.

– Il aurait laissé un mot. Je lui ai répété mille fois.

Amy courut vers la cuisine, Simon sur ses talons. Elle parcourut des yeux les surfaces planes, cherchant un bout de papier.

– Il ne va pas laisser une note pour nous dire qu'il fait quelque chose qu'on lui a interdit, remarqua Simon. Il a dû croire qu'il serait rentré avant nous. Après tout, on n'était pas censés revenir avant 21 h 30.

Elle regarda le téléphone mural.

– Regarde la liste des appels.

Il décrocha et composa le numéro du répertoire.

– Il y en a un à 20 h 15. Appel inconnu.

– Oh, bon sang !

Elle fit un pas vers l'entrée, puis se retourna.

– Je savais qu'il était trop tôt pour le laisser seul !

– Amy, à son âge, les filles font déjà du baby-sitting.

– Ce n'est pas une fille. C'est un garçon immature.

Sa voix montait dans les aigus. Il tendit une main rassurante, mais elle recula d'un bond.

– Tu étais incapable de résister à l'idée que quelqu'un allait te donner un million en récompense d'un bienfait quelconque, hein ?

Mille dollars, pensa Simon.

– Écoute, il ne s'agit pas de moi. C'est…

– Bien sûr que si… *maître* Simon Howe.

– Personne ne pouvait savoir qu'on laisserait Davey seul. Il était possible que tu choisisses de rester, ou on aurait pu le déposer chez un ami, ou…

Elle frappa le plan de travail du plat de la main.

– Vas-tu la fermer et appeler la police ?

D'aussi loin qu'il puisse se souvenir, elle ne lui avait jamais parlé sur ce ton. Mais Davey avait disparu. Alors il la ferma et composa le numéro de la police.

*

* *

Des dix hommes composant les forces de police de Red Paint, il en connaissait neuf. Le dixième, un nouvel agent frais émoulu de l'école, se tenait dans le salon des Howe, oscillant sur ses jambes.

– C'était quel restaurant, déjà, monsieur Howe ?

– Le River View, à Bath, répéta Simon, résistant à l'envie de suggérer à l'agent Reade de l'écrire une fois pour toutes.

– Vous laissez souvent votre fils seul le soir ?

– Il a onze ans, et c'est la deuxième fois.

– S'il savait que vous iriez jusqu'à Bath, il peut être parti s'amuser un brin en ville. L'été, pas mal de gosses vont faire du skate sur la place.

– Pas lui.

– Comment pouvez-vous en être sûr ?

– Parce qu'il était privé de sortie.

– Je vois, déclara le jeune policier, et Simon se demanda ce qu'il voyait exactement. Bath est assez loin. Vous allez souvent au River View ?

– Non, la cuisine n'est pas terrible.

– Vous trouvez ? Quand j'habitais dans le coin, j'y allais tout le temps.

– Chacun ses goûts, j'imagine.

Amy bondit de sa chaise.

– Voulez-vous cesser de parler cuisine ? Davey a disparu !

L'agent Reade leva les yeux au ciel comme pour dire à Simon « Vous ne pouvez pas contrôler votre femme ? ». Et en vérité, non, il ne pouvait pas.

– Amy, je sais que tu es énervée, mais…

– Tu peux m'épargner ta condescendance ?

– Je suis sûr que l'agent Reade se contente de suivre le protocole visant à obtenir les informations qu'il lui faut.

– Alors, qu'il accélère ce fichu protocole !

– Pourquoi êtes-vous allés au River View si vous n'appréciez pas ce qu'on y sert ? demanda Reade avec une lenteur que Simon jugea délibérée.

– On peut dire qu'on nous y a invités.

– Qui ?

– On l'ignore. La semaine dernière, j'ai reçu une carte postale. Quelqu'un disait vouloir me récompenser pour un service quelconque que je lui aurais rendu.

– Puis-je voir cette carte ?

Simon fit un geste vers Amy. Celle-ci fouilla dans son portefeuille, une poche après l'autre.

– Vide tout sur la table, s'irrita-t-il.

– Elle n'est pas là. On doit l'avoir laissée au restaurant.

– Tu l'as laissée au restaurant ?

– *On* l'a laissée.

– Mais notre seul lien avec… Oh, attends, j'ai gardé les autres !

Simon courut vers la cuisine. L'aimant en forme de poisson jaune n'était plus sur le réfrigérateur.

Les cartes postales non plus. Il revint dans le salon les mains vides.

– Elles ont disparu.

Reade acquiesça, comme si cette déclaration ne faisait que confirmer sa théorie, quelle qu'elle soit.

– Comment vous entendez-vous avec votre fils, monsieur Howe ?

– Pourquoi me posez-vous la question ?

Le policier haussa les épaules, comme si la réponse était évidente.

– Vous dites qu'il était privé de sortie. Il a fait des bêtises récemment ?

– Est-ce si important ?

– Si on sait ce qui le tracasse, on aura plus de chances de le retrouver.

– D'accord, il a donné un coup de poing à un autre gamin.

– Votre fils l'a frappé ?

– Mettons plutôt qu'il l'a poussé, mais c'est pareil : il ne doit pas se comporter comme ça. C'est pourquoi on l'a privé de sortie pour une semaine.

– Y avez-vous adjoint des... punitions corporelles quelconques ?

– Je doute que la meilleure façon d'apprendre à notre fils qu'il est mal d'user de violence passe par la violence.

Reade haussa les épaules.

– Pourtant, c'est assez courant de nos jours, plus que vous ne l'imaginez. Mes parents ne se gênaient pas pour nous taper dessus !

Simon pouvait s'imaginer une hypothétique une : « À Red Paint, la fessée fait son grand retour ». Une autre, plus effrayante, lui traversa l'esprit : « Les recherches continuent pour retrouver le fils du rédacteur en chef ».

– Je suis psy, dit Amy, les mains jointes devant elle, sa façon à elle de garder son calme, et je ne toucherais jamais à un cheveu d'un enfant. Donc, avant que j'explose, voulez-vous bien prendre votre radio et prévenir tout le monde de la disparition de notre fils ?

Reade acquiesça docilement, comme s'il était d'accord avec elle, mais il ajouta :

– Sauf qu'on n'est pas sûrs qu'il ait disparu, madame Howe. Tout ce qu'on sait, c'est qu'il n'est pas là où vous vous attendiez à le trouver. Avec les gamins, ça arrive tous les jours. (Il se dirigea vers la porte de devant et s'accroupit pour inspecter la poignée.) Il n'y a pas de trace d'effraction, ni ici ni aux fenêtres. Apparemment, votre fils est sorti de son propre chef. Peut-être qu'un ami a sonné à la porte.

– Il sait qu'il ne doit ouvrir à personne tant qu'on n'est pas là, affirma Simon.

– Votre fils fait toujours ce que vous lui ordonnez ?

– Non, mais…

– Je vais avertir la patrouille de nuit pour qu'ils aillent voir dans les coins où traînent les ados. Avez-vous une photo récente de…

– Davey, répondit Amy. Notre fils s'appelle Davey.

Elle désigna le manteau de la cheminée, Simon comprit qu'il devait en retirer la photo de leur fils dans son uniforme de base-ball.

– Un beau garçon, remarqua le policier en fourrant la photo sous son blouson.

Simon acquiesça. En effet, Davey était un très beau garçon.

*

* *

Lorsque l'agent repartit, Amy claqua la porte si fort que Simon craignit que le verre se casse.

– On a perdu une heure avec cet idiot, déclara-t-elle. Tu sais quelle distance une voiture peut parcourir en une heure ?

– Une voiture ?

– Oui, une voiture. Si ton taré est venu frapper à notre porte et que Davey a répondu…

Simon lui prit les mains.

– Ça ne s'est pas passé comme ça, Amy. J'en suis sûr.

Elle se dégagea.

– Comment peux-tu dire ça ? Tu n'en sais rien.

– Il vaut mieux rester positif. Ce n'est pas le moment de craquer tous les deux.

Elle virevolta et sa main balaya la table, envoyant une liasse d'enveloppes à terre. Il se pencha pour les ramasser.

– C'est peut-être exactement ce qu'il nous faut, déclara-t-elle, le dominant de toute sa taille. Ressentir tous les deux la même chose. Parce que, en ce moment, je n'ai pas la moindre idée de ce que tu as en tête. C'est comme si tu savais quelque chose que j'ignore.

Simon reposa le courrier sur la table. Il lui fallut un moment pour prendre la mesure de ce qu'elle suggérait.

– Tu crois vraiment que je te cache des choses alors que Davey a disparu ? Tu as une bien piètre opinion de moi.

– Je vais regarder à nouveau dans sa chambre.

Il ne l'avait jamais vue grimper l'escalier si vite. Il dut monter les marches quatre à quatre pour rester à sa hauteur. Elle s'arrêta juste devant la porte de la chambre de Davey, comme pour ne pas déranger une scène de crime.

– Tout est à sa place, remarqua-t-elle.

Facile à constater. Davey gardait sa chambre étonnamment bien rangée. Casper leva la tête, s'étira, puis sauta du lit pour se diriger vers eux. Amy la ramassa et renifla.

Simon scruta la pièce, à la recherche d'un indice, n'importe quel détail qui clochait, et remarqua le bandana bleu de Davey accroché au-dessus du miroir.

– J'espère que ce n'est pas un de ses tours de magie, ou je vais…

Un bruit leur parvint du rez-de-chaussée : une porte qui s'ouvre. Celle de la cave ? Casper jaillit des mains d'Amy, toutes griffes dehors, pour aller se cacher sous le lit tel un tourbillon blanc. Elle n'était pourtant pas trouillarde.

– Davey ? lança Amy.

Pas de réponse. Simon fit un pas en avant, mais elle lui saisit le bras.

– Prends sa batte de base-ball.

Il tira de derrière la porte une Louisville Slugger. Puis descendit l'escalier en silence, Amy sur ses talons. Arrivé en bas, il se tourna vers la cuisine. Et là, ils virent leur fils dépiautant un Oreo, ses écouteurs sur les oreilles.

– Davey ! hurla Simon en se précipitant vers lui pour le prendre par les épaules. Ça va ?

Le gâteau tomba sur le carrelage.

– Bon sang, p'pa, qu'est-ce qui te prend ?

Davey se pencha pour ramasser l'Oreo.

– Où étais-tu passé ? On t'a bien dit que tu étais privé de sortie !

Le garçon retira ses écouteurs.

– Quoi ?

Amy posa les mains sur les épaules de son fils et le fit pivoter pour le tenir face à elle, leurs visages à la même hauteur.

– Où étais-tu ?

– Dans la cabane dans l'arbre. Tu n'as jamais précisé que je devais rester *dans* la maison. Privé de sortie ne m'interdit pas le jardin, non ?

Simon le fit se tourner à nouveau vers lui :

– Je me fiche des détails techniques. Quand on te laisse à la maison, on s'attend à te retrouver à la maison.

Davey entreprit de lécher le glaçage de son biscuit, mais Amy le lui arracha des mains pour le jeter dans l'évier.

– Écoute un peu. Ça fait une heure qu'on est là, à se faire un sang d'encre.

– Ouah ! Et vous avez appelé les flics ?

– Tu as vu la voiture de police et tu n'es même pas descendu ?

– Maman, je l'ai vue partir il y a une minute, c'est tout. Je ne savais pas qu'elle était là pour moi. (Davey plongea la main dans le bocal à gâteaux et en tira un autre Oreo.) Je peux manger celui-là ?

Amy acquiesça. Il cassa le biscuit en deux et lui tendit la moitié sans glaçage.

– Ils l'ont attrapé ?

– Attrapé qui ? demanda Simon.

– Le rôdeur devant la porte. C'est pour ça que je suis monté dans la cabane. Tu m'as bien dit de ne pas ouvrir si on sonnait à la porte.

– Quelqu'un a sonné ?

– Non, mais il est resté sur le seuil un bon moment. (Davey désigna le panneau de verre cannelé à côté de la porte d'entrée.) J'ai préféré sortir en douce par-derrière, grimper à l'arbre, retirer l'échelle et écouter de la musique. J'ai bien fait, non ?

Imaginer un homme planté devant sa porte, sans sonner, sans frapper, sans rien faire, alors que leur fils était seul dans la maison, était terrifiant.

– Oui, répondit Simon, tu as bien fait.

9

Les rues de Red Paint lui semblent familières, un rappel de sa jeunesse, un décor imprimé dans son cerveau à l'encre indélébile. Il se souvient du raccourci qui mène de l'auberge à la place, se gare au bord de la rivière, puis descend le chemin sinueux menant au kiosque à musique. Il monte le grand escalier et s'arrête un instant pour regarder le parc, comme si une foule s'y massait pour l'entendre. De quoi parlerait-il ? D'un sujet pointu, comme l'intervention du divin dans le monde moderne ? Après la une du *Register* – « Apparition de la Vierge dans une arrière-cour de Red Paint ? » – toute la ville ne parlerait que de miracles. Le point d'interrogation était indispensable, bien sûr, le scepticisme propre aux journalistes. Mais quelqu'un qui croit en Dieu doit-il forcément accepter la notion de miracle ? Une divinité toute-puissante peut certainement accomplir l'improbable ou l'impossible, ce qui est la définition même des miracles. Dieu peut parfaitement défier une logique qu'Il a Lui-même créée – aller en même temps vers le bas et le haut. Apparaître et disparaître. Tuer et laisser vivre. Punir et pardonner. Être Dieu et ne pas l'être.

Et Il est partout à la fois sans besoin d'envoyer la Vierge ou quiconque en émissaire. Il pourrait même descendre sur un kiosque comme celui-ci, dans une petite ville comme celle-ci, afin de faire part de Son message, dix nouveaux commandements pour ce siècle nouveau, peut-être. Bien sûr, Il demanderait à être présenté dignement, et à qui échoirait cet honneur ? *Mesdames et messieurs, veuillez applaudir le Créateur de…*

Il voit quelque chose sur le plancher du kiosque, caché dans l'ombre, et le retourne du bout du pied. Un petit visage le regarde, celui d'un ours en peluche brun, une bande de tissu rouge en guise de sourire. Il ramasse le jouet grêle que quelqu'un a perdu ou jeté. Quoi qu'il en soit, il est loin de ceux qui l'ont un jour aimé. Il le secoue pour faire tomber la terre qui le macule et hoche la tête en un acquiescement involontaire. Il n'y a personne à qui il pourrait le rendre, que des jeunes qui tapent dans un ballon sur l'herbe un peu plus loin. Combien d'entre eux serrent secrètement une peluche contre leur cœur dans leur sommeil ?

Il emporte l'ours de l'autre côté du kiosque, une main sur la rambarde. Dans le temps, il y allait à toute allure et sautait les six marches d'un bond – la seule audace de son enfance. Il se souvient de la terreur qu'il éprouvait alors, fermant les yeux à la dernière minute, le décollage, une éternité à battre des bras pour rester en équilibre, puis la sensation merveilleuse de retomber sur le plancher des vaches.

Sur le terrain vague, les gamins luttent pour prendre la balle, se percutent, puis se roulent par terre en feignant d'être blessés, enserrant leurs chevilles, de vraies petites divas potentielles. Ils ne remarquent même pas l'homme qui traîne dans les parages sans but apparent. Lorsqu'il était gamin et se tenait près de ce réverbère, à regarder ce jeu qu'organisaient ses camarades de classe, lui non plus ne prêtait aucune attention aux adultes. Un jour qu'il leur manquait un joueur, ils l'avaient convaincu de prendre sa place. Ils le laissèrent jeter la balle lui-même, puisqu'il ne pouvait frapper un pitch régulier. Et pourtant, le mieux qu'il puisse espérer était d'atteindre le carton à pizza servant de première base. Au moins, il courait vite.

Maintenant, il marche en zigzag le long du terrain usé. Durant l'été, il était toujours envahi de poussière, avec plus de brun que de vert, plus de terre que d'herbe. Marteler ce sol dur pouvait être douloureux.

– Hé, m'sieur !

Il regarde derrière lui, voit des gamins, d'autres sur les côtés, d'autres encore qui lui font face.

– Dégagez le terrain, s'il vous plaît !

Il fait un signe de la main en guise d'excuse et s'éloigne de la place pour gagner Mechanic Street, traversant l'avenue sans prendre la peine de regarder à droite et à gauche. À cette heure de la nuit, à Red Paint, la circulation est rare, et ceux qui verraient un homme s'engager sur la chaussée ne manqueraient pas de s'arrêter. Les locaux du *Register* sont éclairés, comme toujours. Il presse son visage contre la vitre et distingue la vieille cloche de pompiers accrochée au plafond, celle qu'on fait sonner à chaque fois que les épreuves partent pour les rotatives. Dans un coin, il y a la table du typographe avec les grosses lettres de métal embossées servant à composer les pages manuellement. Et, sur le mur du fond, la vieille carte de la Province du Maine où la portion de terrain entre l'Océan et la baie est désignée sous le nom « Territoire de Red Paint ». Il faut croire que le temps n'a aucune prise sur le *Register*.

Il se dirige vers la porte d'entrée et parcourt la liste du personnel encadrée sous verre. Tout en haut : Simon Howe, rédacteur en chef. Une douzaine de noms en dessous. Le dernier : David Rigero, typographe, est écrit dans une autre police ; un rajout, manifestement. Il regarde des deux côtés du trottoir, puis tire un gros feutre indélébile de sa poche. Il retire le bouchon et tient la pointe sous son nez, respirant son odeur âcre. Il se demande comment disposer les mots sur la porte. Inclinés, de haut en bas, de la gauche vers la droite, taille maximale, effet maximal ? Le marqueur couine sur la surface, laissant de grosses lettres noires sur le bois clair. Quelle ponctuation ? Un point d'exclamation ? Trop frénétique. Un point ? Trop formel.

Il entend des voitures dans la rue et craint d'être repéré. Il n'a jamais été surpris à faire quelque chose de mal, pas même à l'école. Il a passé l'essentiel de sa vie à éviter les réprimandes, et aujourd'hui voilà qu'il vandalise un bâtiment au cœur de sa ville natale. S'il devait s'expliquer, que plaiderait-il ? Un coup de folie temporaire ? Une démence permanente ?

Il pose l'ours en peluche contre la porte et fait quelques pas pour disparaître dans une ruelle, laissant un seul mot, sans ponctuation inutile, tant il est éloquent en soi.

10

VIOLEUR

Simon, planté devant la porte du *Register*, fixait ce mot tracé en grandes lettres sur le panneau. Derrière lui, le photographe du journal leva son appareil pour l'amener à la hauteur de son œil. Simon se retourna brusquement et écarta son bras.

– Pas de cliché, Ron.

Le jeune homme reprit son équilibre et rajusta le Nikon accroché à son cou.

– Pourquoi pas, patron ? Ça ferait une première page accrocheuse.

– Quelqu'un d'autre l'a vu ?

Ron se tourna pour observer la rue. Sur le trottoir, une vieille femme marchait d'un pas traînant, la tête basse.

– Oui, enfin, je veux dire, tous ceux qui passent par ici le peuvent s'ils jettent un œil dans cette direction.

– Parmi le personnel ?

– La rédaction est presque au complet.

– Et la production ?

– Personne, à part Rigero. J'ai vu sa camionnette garée dans le parking.

Simon frotta les lettres de ses doigts, les tachant d'encre. Ron lui tendit un vieil ours en peluche miteux.

– J'ai trouvé ça posé contre la porte, comme une signature. « Le vandale à l'ours en peluche », ça ferait un bon titre, non ?

Simon prit le petit animal en peluche. Son visage était aplati, comme si on avait marché dessus, et il avait une petite fente effilochée au niveau du ventre.

– La police sera là dans quelques minutes, dit Ron.

Simon sursauta.

– Tu as appelé les flics ?

– Oui, ils se déplacent toujours pour les actes de vandalisme.

– Ce n'est qu'un graffiti. Sans doute un gamin qui n'avait rien de mieux à faire. Va chercher une brosse dans le placard du gardien et on l'effacera en un rien de temps.

– C'est l'empreinte du mal, voilà ce que c'est !

Une affirmation accompagnée de l'agitation d'une canne au-dessus de leurs têtes. Simon et Ron s'écartèrent pour laisser Erasmus Hall la pointer vers la porte.

– C'est un signe. Repentez-vous avant qu'il ne soit trop tard !

Il leur tendit un tract d'une main tremblante. Simon le prit, puis se plaça devant le mot accusateur dans l'espoir de le cacher à la vue des passants en attendant de pouvoir le faire disparaître.

*
* *

– Monsieur Howe ? Je peux vous voir un instant ?

Simon leva les yeux de son bureau pour voir le typographe qu'il venait d'embaucher. Il sentait l'after-shave, une odeur forte et métallique.

– Bien sûr, répondit Simon en scrutant la rédaction. On n'a qu'à aller dans la salle de conférence, histoire de parler en privé.

– C'est inutile. Je n'ai rien à cacher.

Simon lui montra la chaise en face de son bureau, puis se pencha en avant.

– J'imagine que tu as vu ce qu'il y avait d'écrit sur la porte.

– Oui, lorsque je suis arrivé, une petite foule s'était rassemblée devant, alors j'ai jeté un coup d'œil.

– Je suis désolé, dit Simon. Dès que je m'en suis aperçu, on a tout fait pour l'effacer.

– Vous êtes désolé ?

– Que tu aies dû le voir.

Rigero haussa les épaules, un peu trop haut, comme un gamin qui n'a pas tout à fait maîtrisé ce simple geste.

– Ça n'a rien à voir avec moi, reprit-il d'une voix un peu plus basse. Vous êtes le seul à savoir pourquoi j'ai fait de la prison. Et vous n'en avez parlé à personne, monsieur Howe, parce que ce serait une intrusion dans ma vie privée, n'est-ce pas ?

Il l'avait dit à Amy, mais ça ne comptait pas. Rien de plus normal que de partager ses secrets avec son épouse.

– Bien sûr que je l'ai gardé pour moi.

– Dans ce cas, nul n'est au courant.

Simon acquiesça.

– Donc, de quoi voulais-tu me parler ?

– Je préparais la page des petites annonces et j'ai remarqué que vous vendiez un piano.

– Tu en joues ? fit Simon avec plus de surprise dans la voix qu'il ne l'aurait voulu. Je veux dire, se reprit-il, durant l'entretien, quand on a parlé de tes passe-temps, tu n'as pas cité le moindre instrument de musique.

– Ce n'est pas pour moi. J'ai une sœur qui habite Brunswick, et elle a trois enfants. Je pensais le retaper pour lui en faire cadeau. Elle en jouait quand on était petits. J'imagine qu'elle pourra apprendre à ses gosses.

– Excellente idée.

– Ma sœur a toujours été à mes côtés, même quand j'étais en prison. Le reste de la famille a fait comme si j'étais mort.

– Désolé de l'apprendre. Mais ce piano a pas mal souffert. Mon fils le martelait avec les pieds. Et ça fait des années qu'il n'a pas été accordé.

– C'est bon, je sais travailler le bois, je me débrouillerai. Mais d'après l'annonce, vous en demandez cent dollars. Pourriez-vous me le faire à soixante-quinze ? C'est tout ce que j'ai.

Marchander le piano d'Amy, voilà qui ne plairait guère à sa femme. Il devrait lui dire qu'il en avait bien tiré cent dollars, quitte à ajouter lui-même les vingt-cinq manquants.

– Bien sûr, dit Simon.

Comment exiger de quelqu'un plus que ce qu'il a ?

– Je peux venir le prendre avec ma camionnette après les heures de bureau.

– Il est assez lourd.

Rigero banda les muscles de ses bras.

– J'ai été déménageur, et ma camionnette a un plateau élévateur. Je m'en sortirai.

Il se leva et tendit la main pour conclure le marché.

– Tu sais, fit Simon en la lui serrant, on ferait peut-être mieux d'y aller tout de suite, avant que ma femme rentre. Elle n'apprécie pas trop de devoir s'en débarrasser. Elle pourrait te chasser, ajouta-t-il avec un petit rire.

– D'accord, je vous retrouve chez vous, conclut Rigero en se dirigeant vers la salle de fabrication.

Simon prit sa veste et se tourna vers la grande porte. Il n'avait encore jamais remarqué cette ségrégation entre les équipes éditoriales et les fabricants : ils n'empruntaient pas les mêmes entrées et sorties. Devait-il changer ça ?

– Je serai absent le reste de la journée, lança-t-il à Barbara, qui lui fit un signe de la main sans lever le coude de son bureau à l'autre bout de la pièce.

Alors qu'il s'apprêtait à tirer la porte, celle-ci s'ouvrit, et Holly Green s'avança pour presser ses joues contre les siennes. De toutes les filles de sa classe, pensa-t-il, Holly était la seule qui ne se ressente pas trop de ces vingt-cinq dernières années.

– Je suis contente d'être tombée sur toi Simon, lui dit-elle, toujours pleine d'énergie. J'ai quelques anecdotes à raconter au journaliste à qui tu as confié l'article sur notre réunion.

– Il y a du lourd ? demanda-t-il, s'écartant pour la laisser entrer.

– J'allais lui parler de notre week-end à Boston, le dernier de toute l'histoire du lycée de Red Paint.

Simon se souvenait très bien de ce voyage : l'hôtel prétentieux en bordure de la ville où ils étaient descendus, l'animation des chambres après le couvre-feu, lorsqu'ils avaient jeté des statues faussement romaines dans le bassin et vidé les réfrigérateurs de tout ce qui était comestible.

– C'est vrai qu'on a tout gâché pour les autres classes.

– On peut sortir les enfants du Maine, on ne peut sortir le Maine des enfants, comme le disait notre vice-doyen avec toute la condescendance possible.

– Avec le recul, je le comprends, affirma Simon. Mais ne donne pas trop de détails à Joe. Je ne veux pas qu'on passe pour de parfaits sauvages.

Il serra brièvement Holly contre son cœur pour lui indiquer qu'il devait y aller et prit la porte pour aller déménager un piano.

*

* *

– C'est sympa chez vous, remarqua Rigero, traversant le salon en regardant tout ce qu'il y avait à voir : une girafe en céramique, un panier d'osier plein de badges politiques surannés, et un objet rond ressemblant à un coquillage percé.

– C'est un bloc de corail, dit Simon. Davey l'a trouvé dans le jardin. Un jour, cette région a dû être submergée.

– Ou quelqu'un l'a jeté par sa portière en passant par là.

– C'est une possibilité.

Rigero prit une des photos de famille alignées sur la table basse et l'approcha de ses yeux comme s'il cherchait à discerner un détail quelconque.

– C'est à Disney World. On a fait ce pèlerinage indispensable l'an dernier.

– On dirait que votre fils s'est bien amusé.

– Davey était au paradis.

Rigero haussa les épaules.

– Je suppose que je n'y entrerai jamais, pour ma part.

Simon remarqua le soin avec lequel Rigero reposait la photo sur la table basse dans la même position qu'avant, comme s'il connaissait déjà cette pièce ou, du moins, s'y sentait à l'aise. Une idée lui traversa l'esprit, mais comment l'exprimer ?

– David ? Tu n'aurais pas fait un saut par ici jeudi soir, par hasard ?

Rigero s'empressa de lever les yeux.

– Pourquoi aurais-je fait ça ?

– Je ne sais pas. Notre fils croit avoir vu quelqu'un devant la porte, quelqu'un qui n'a pas sonné, et on cherche à l'identifier.

Rigero eut un petit rire.

– Alors vous posez la question à tous ceux que vous croisez ?

– Non, je veux dire, je pensais, puisque tu sais où j'habite, tu aurais pu venir pour une raison ou une autre.

Rigero s'accroupit à côté du vieil Endicott droit contre lequel il posa son épaule, et le souleva de un centimètre.

– Il doit faire dans les cent vingt-cinq kilos, déclara-t-il. J'ai déplacé plus lourd. (Il montra le petit tapis qu'il avait apporté.) On glisse le tapis sous le piano, et on le tire vers la porte.

– Bien pensé.

Simon entendit crachoter le moteur de la Volvo et regarda par la fenêtre. Ce qu'il vit confirma ses craintes.

– Bon sang, ma femme !

– Ça pose problème ?

– Difficile à dire.

Il courut dans le vestibule et ouvrit la porte alors qu'Amy s'en approchait en fredonnant.

– Tu es en avance, remarqua-t-il.

Elle lui donna un petit baiser sur la joue.

– Ça n'a pas l'air de t'enthousiasmer.

– Je suis surpris, c'est tout.

– Mon rendez-vous de 15 heures s'est désisté. (Elle laissa tomber son sac sur la chaise.) Que fait cette camionnette dans notre allée ?

Il désigna le salon et le dos de l'homme occupé à inspecter le piano.

– J'ai trouvé un acheteur. Il voulait l'emporter avant que tu rentres, mais on peut faire ça à un autre moment.

– Ne dis pas de bêtise. J'ai fait une croix sur cette partie de mon enfance. Qu'il s'en aille. (Elle entra dans le salon en tendant la main.) Je m'appelle Amy.

Rigero se retourna et la lui serra brièvement avant de la laisser retomber.

– Enchanté. Moi, c'est David.

– David, répéta-t-elle. C'est le nom de notre fils, mais il se fait appeler Davey.

– J'ai toujours préféré David.

– Ça ne prendra que quelques minutes, dit Simon en plaquant son épaule contre le piano comme l'avait fait Rigero. Tu n'as qu'à aller te changer pendant qu'on s'en occupe.

Elle s'accouda au bras du canapé avec l'air de ne vouloir aller nulle part.

– Comment as-tu pu trouver un acheteur si vite ?

Et ainsi commença l'interrogatoire, dont la conclusion était prévisible.

– J'ai fait ce qu'on avait décidé ensemble : j'ai passé une annonce dans le journal.

Amy y réfléchit un instant. Précisément ce qu'il redoutait.

– Le journal ne sortira que demain.

Rigero eut un sourire malicieux.

– J'imagine que je disposais d'un avantage : j'ai vu l'annonce en avant-première.

– Bien, fit Simon en se relevant. David, tu n'as qu'à soulever le piano pendant que je glisse le tapis dessous.

Amy fit le tour des deux hommes.

– Vous avez vu l'annonce en avant-première, répéta-t-elle. Vous travaillez au *Register* ?

– Oui, à la fabrication. J'ai commencé il y a quinze jours à peine. (Il passa son doigt sur la surface vernie.) En fait, c'est une belle pièce. Le bois est intact.

– Vous avez essayé d'en jouer ? demanda Amy.

Rigero se mit face au côté du piano et trouva une bonne prise pour ses mains.

– M. Howe m'a dit qu'il était désaccordé, c'est pour ça qu'il m'a fait une ristourne de vingt-cinq dollars, hein ?

– C'est vrai, acquiesça Simon en s'agenouillant, le tapis en main.

– On peut toujours faire accorder un piano, mais si le bois est attaqué, pas moyen de le ravoir.

– Ainsi, reprit Amy d'une voix plus dure, vous êtes expert en pianos ?

Rigero secoua la tête.

– Non, mais je m'y connais en bois.

– Et quoi d'autre ?

– Prêt ? Soulève ! dit Simon.

Lorsque le piano s'éleva, Simon glissa dessous le petit tapis.

Rigero le reposa doucement, puis se frotta les mains.

– J'imagine que je sais deux ou trois choses sur deux ou trois choses.

Amy opina.

– Robert De Niro, dans *Blessures secrètes*.

– Exact ! Il était super dans ce film, non ?

– Oui, à sa façon psychotique.

Rigero eut un sourire.

– Personne ne joue les psychotiques mieux que De Niro.

Amy passa les mains sur le haut du piano en une caresse furtive.

– La prison, fit-elle d'un ton si cassant que les deux hommes se retournèrent, c'est une des choses que vous connaissez un peu ?

Rigero regarda Simon.

– Et pourquoi pas…

– Amy… intervint Simon.

Mais il ne sut qu'ajouter. Il n'avait jamais pu la forcer à tenir sa langue.

Elle le dévisagea un instant, puis se tourna vers Rigero.

– Le viol ? reprit ce dernier. C'est de ça que vous voulez parler ?

Amy le fixa quelques instants.

– Simon ne vous l'a peut-être pas dit, mais je suis psychologue, et mes plus anciennes patientes ont subi des violences sexuelles.

Rigero, virant à l'écarlate, se frotta le visage de son bras.

– Et combien de violeurs avez-vous parmi vos clients ?

– Je ne traite pas les violeurs.

– En ce cas, vous ne connaissez qu'une seule facette du problème.

Elle rejeta cette notion d'un geste de la main.

– Vous croyez que le viol a deux facettes ?

Rigero haussa les épaules.

– Il y a toujours deux points de vue, pour peu qu'on veuille les écouter.

– Bien, fit Simon en s'interposant, il est temps de déplacer ce piano.

*

* *

Il l'aida à arrimer le vieux piano dans la camionnette. Pendant une demi-heure, ils ne cessèrent de le changer de position, de faire et défaire ses liens.

– Là, il devrait tenir bon, dit Rigero en sautant de la ridelle.

Il tira un paquet de cigarettes un peu écrasé de sa poche arrière. Il l'ouvrit et le tendit à Simon. Il ne restait plus qu'une clope tire-bouchonnée.

Une offre particulièrement généreuse, se dit Simon.

– Non, merci, je ne fume pas.

Rigero ouvrit une boîte d'allumettes et en tira la dernière. Il la gratta, puis mit ses mains autour de la flamme pour la protéger en la guidant vers la cigarette plantée entre ses lèvres. Le rituel du tabac impliquait de telles manœuvres délicates.

– Votre femme commençait à s'échauffer sérieusement, remarqua-t-il en relâchant un premier nuage.

Simon s'étonna de ce vocabulaire choisi. Elle ne se mettait pas en colère, ne s'énervait pas, elle *s'échauffait*.

– Comme elle l'a dit, elle travaille avec des patientes qui tentent de se remettre après, eh bien, un viol. C'est donc un sujet sensible pour elle.

– Je ne m'attendais pas à ce qu'elle soit au courant, c'est tout, reprit Rigero d'un ton naturel, sans l'ombre d'une accusation.

– J'en suis désolé. Dès qu'elle a su que j'embauchais un ex-taulard, elle n'a pas voulu lâcher le morceau. Elle a deviné.

Rigero jeta sa cigarette à demi consumée dans la rue et l'écrasa de la pointe du pied.

– Vous pouvez lui dire que j'ai été condamné à dix ans de taule et en ai fait sept pour avoir couché avec une femme qui s'est évanouie en cours de route. Cinq minutes de plaisir, sept années de douleur.

Simon ne pouvait s'imaginer répéter ça à Amy. Il hocha néanmoins la tête, comme si c'était un truc de mecs.

*

* *

Il arracha en passant quelques mauvaises herbes poussant dans l'allée. Arrivé devant la porte, il se tourna vers le soleil et laissa les rayons chauffer son visage jusqu'à le brûler. Puis il rentra.

– Je n'arrive pas à y croire ! dit Amy en se précipitant à sa rencontre. Je t'avais bien spécifié que je ne voulais pas voir ce type, et tu l'invites chez nous ?

– Comment voulais-tu que je sache que tu rentrerais en avance ?

– Ce n'est pas la question, rétorqua-t-elle, tremblante d'indignation. Quelqu'un comme lui, c'est un poison ambulant, et je ne veux pas qu'il joue le moindre rôle dans nos vies. Et maintenant, ses mains répugnantes vont parcourir un piano qu'au départ je n'avais pas l'intention de vendre, celui sur lequel j'ai appris, et Davey après moi.

– Tu étais d'accord pour dire qu'il prenait trop de place, et de toute façon le piano n'est pas pour lui. Il veut le retaper pour l'offrir à sa sœur qui a trois enfants, afin de mettre un peu de musique dans leurs vies.

– Donc, c'est un violeur au cœur d'or qui aime la musique ? Comme c'est émouvant !

Simon secoua la tête.

– Pourquoi cette histoire te rend hystérique ?

– N'emploie pas ce mot, rétorqua-t-elle. À chaque fois que Freud disait d'un de ses patients qu'il était hystérique, c'était toujours une femme.

– Bon, d'accord, je retire ça, tu n'es pas hystérique. Mais pourquoi en faire tout un plat ? Il a commis une erreur et a purgé sa peine.

– Les femmes violées ne peuvent pas faire quelques années de taule, puis se retrouver libres comme l'air.

– Alors David mérite la prison à vie ? Ou est-ce trop bon pour lui ? Pourquoi ne pas le clouer au pilori ?

– Ne sois pas sarcastique.

– Je suis sérieux. Je veux vraiment savoir quel châtiment mérite un violeur.

Amy y réfléchit un instant.

– La honte, Simon. Et cet homme ne semblait pas en souffrir.

II

Il est assis sous le porche rustique de l'auberge de Bayswater Inn, et regarde la pluie marteler le fleuve. De temps en temps, le vent change de direction et projette de grosses gouttes qui l'atteignent au visage malgré le large auvent. Il ne bouge pas, même quand Peter McBride, le propriétaire de l'auberge, vient vers lui avec une grosse tasse remplie d'un liquide brun couronné d'un nuage de chantilly.

– Offert par la maison, monsieur Chambers. C'est notre spécialité… on l'appelle le Tonic. Ma grand-mère disait que s'il ne guérissait pas tous vos maux, quels qu'ils soient, c'est que vous n'en aviez pas. (L'homme prend la tasse et la serviette en papier tendus.) Le secret, c'est de prendre du whiskey Jameson et de la crème bio du Vermont. Ne le remuez pas. Buvez directement.

Il aspire la crème jusqu'à sentir le café et la morsure du whisky. Il s'essuie la bouche avec la serviette, y laissant une tache brune avant de la replier.

– Je ne suis pas très café, dit-il, mais c'est vraiment bon.

Le vent fait claquer les drisses du drapeau, attirant l'attention des deux hommes.

– Je pourrais écouter ça toute la journée, remarque McBride. J'ai toujours pensé que les plus beaux bruits au monde sont une corne de brume, une chute d'eau, et le grincement d'une drisse contre un mât.

– Et le sifflement d'un train, ajoute l'homme. Un train qui s'en va dans le lointain.

McBride passe derrière son client et empoigne une grosse manivelle noire qu'il tourne non sans mal. L'auvent aux rayures bleues se rétracte centimètre par centimètre.

– Désolé, dit-il, mais une rafale pourrait le déchirer, et je ne veux pas courir ce risque. Vous feriez mieux de rentrer.

– Un peu de pluie ne fait pas de mal, répond-il. Mais si elle tombe quarante jours sans discontinuer, elle peut noyer tout ce qui vit. Six chapitres de la Genèse plus tard, Il submerge l'humanité, regrettant de l'avoir créée. À qui Dieu se confesse-t-il ?

McBride s'appuie sur une chaise longue vide.

– Je resterais bien là avec vous, mais j'ai encore pas mal de boulot avant la réunion de l'école de la semaine prochaine. Ces prochains jours risquent d'être chaotiques. J'espère que ça ne vous découragera pas.

– Pas du tout, répond l'homme, dans son rôle de client idéal.

*

* *

Il se souvient surtout de la musique, l'adagietto de la *Cinquième Symphonie* de Mahler, cette étrange méditation pour harpe et cordes qui, à Bayswater Inn, accompagnait toujours les veillées funèbres. Une musique qui semblait ne pas vouloir s'interrompre, comme si les notes se massaient au bord d'une falaise et refusaient de tomber. Ado, il avait participé à tant de ces cérémonies qu'il lui avait fallu des années pour se sortir cette mélodie de la tête. Et maintenant qu'il traversait la salle à manger pour gagner le funérarium, une petite extension de l'aile ouest où les corps des citoyens les plus illustres de Red Paint gisaient dans leurs cercueils ouvragés, cette musique revenait le hanter. Il aurait pu y amener Jean dans son cercueil de bronze et l'entourer de grands lys blancs. Mais si personne ne venait assister à sa veillée funèbre ? Si plus personne ne se souvenait d'elle ?

Il ouvre les portes pour découvrir deux ordinateurs posés face à face sur des bureaux. Il fait un pas en arrière et regarde à droite et à gauche pour être sûr de ne pas avoir perdu son sens de l'orientation. Apparemment, le funérarium est devenu un petit espace multimédia. Où vont les gens de Red Paint pour faire leurs adieux aux morts ? Il s'installe devant l'un des écrans. Le curseur clignote sur l'onglet Google, encore et encore, attendant ses instructions.

*

* *

Ce soir-là, il s'installe dans la bibliothèque de l'auberge et rédige un bref message, tout en lettres capitales, de sa plus belle écriture. Il se dirige vers la réception, où une femme âgée, la tête basse, prend des notes dans un grand registre. C'est la première fois qu'il la voit ici, et il se demande quelle position elle occupe dans le clan McBride. Étalé sur le comptoir, à côté d'elle, est allongé un chat au corps musculeux avec une énorme tête de lion.

Une minute plus tard, elle lève les yeux.

– Oh, je ne vous avais pas entendu !

Un commentaire familier : « Je ne vous avais pas vu » ou « Je ne vous avais pas entendu ». Parfois, il a l'impression qu'il pourrait traverser les autres sans qu'ils le remarquent. Peut-être auraient-ils un frisson en se demandant « C'était quoi, ça ? ».

– Désolé de vous déranger, mais vous n'auriez pas un timbre, par hasard ?

– Je peux faire mieux, j'ai une machine à affranchir.

Elle désigne un point situé derrière elle, puis lui tend la main. Il tient la carte contre sa jambe.

– Un problème, monsieur… ?

– Chambers.

– Bien sûr, la suite Rachel Carson…

Elle attend sa réponse. *Un problème ?* Il lui tend la carte postale.

– Paul Revere, dit-elle en remarquant l'image. Vous devriez prendre une de nos cartes de Bayswater Inn, histoire de montrer aux vôtres où vous êtes descendu. Elles sont là. Un dollar pièce seulement.

– Peut-être une prochaine fois.

Elle affranchit sa carte, puis la jette dans un casier rempli de courrier en partance, le message vers le haut. Surprenant ce mouvement, le chat lève la tête pour toiser ces humains importuns. L'homme n'a jamais vu de chat comme celui-ci, avec un cou aussi épais et une gueule aussi large.

– On vous a présenté Terrence ? demande la femme en caressant la joue de l'animal.

– Bonjour, Terrence.

– Je sais, il a l'air d'une brute. Les mâles deviennent comme ça si on ne les fait pas castrer. Tout en muscles, parés à la bagarre. Mais au fond, c'est un nounours.

Terrence soutient son regard.

– C'est bon à savoir.

L'homme tend l'index, et le chat lui donne un coup de langue.

– Si vous plaisez à Terrence, remarque la femme, vous devez être quelqu'un de bien.

12

La carte postale montrait Paul Revere galopant pour prévenir les milices locales de l'arrivée de l'armée anglaise. Au dos, il était écrit : « Vous auriez dû venir seul ». Une phrase angoissante. Puis : « Fidèlement vôtre ». Apparemment, comme l'avait soupçonné Simon, la présence d'Amy avait effarouché l'envoyeur. Et cela semblait fermer toute possibilité de découvrir l'identité de cette personne et ce qu'elle lui voulait. Si Amy avait été là, il n'aurait pu résister à l'envie de lui montrer la carte pour lui dire : « Je t'avais demandé de ne pas venir ! ».

Mais elle n'était pas là, et la cuisine lui semblait bien vide sans elle. Tout comme le reste de la maison, sans la présence de Davey rôdant à l'étage ou dans le jardin, mijotant Dieu sait quoi. Ils étaient partis à Bangor rendre visite à la mère d'Amy, laissant Simon seul pour la soirée. Il eut une soudaine envie de pizza, avec garniture complète, et la commanda. Il la mangea à la table de la cuisine, arrosée de bière, tout en se creusant la tête pour trouver des idées d'articles.

1 – Red Paint est-elle heureuse ? Faire une étude pour comparer avec les statistiques nationales qui viennent d'être publiées.

2 – Histoire locale : pourquoi les gens de Red Paint ont-ils abandonné leur territoire sans combattre ?

3 – Question : Erasmus Hall a-t-il persuadé une seule personne de se repentir ? (Portrait d'une conviction face à un rejet massif.)

4 – Série récurrente – Qu'est devenu… ?

Le téléphone sonna plus fort que d'habitude, et Simon se demanda si Davey avait haussé le volume. Encore un de ses tours. Il se pencha par-dessus la table, s'attendant à voir le nom d'Amy sur l'écran. D'ici, on pouvait prendre l'autoroute et filer tout droit à Bangor et, même sous cette pluie fine, il était possible qu'elle ait fait le trajet en une heure. Mais l'écran affichait « Appel inconnu ».

– Allô ?

Pas de réponse, pas un bruit, comme une ligne morte, ou le léger délai nécessaire à un pro du télémarketing pour se rendre compte qu'on avait décroché.

– Je n'achète rien, dit Simon avant de couper la communication.

*

* *

Cette nuit-là, alors qu'il passait devant la fenêtre de sa chambre, il remarqua une voiture garée de l'autre côté de la rue. Les essuie-glaces s'activaient à intervalles réguliers. Une silhouette était à peine visible derrière le volant, quelque chose de blanc sur la tête. Ses traits indéchiffrables se mêlaient au verre brouillé. Simon regarda l'inconnu pendant plusieurs minutes. Il devait être occupé à pirater le wi-fi du voisin. Ou alors il consultait une carte, cherchant le chemin pour sortir de Red Paint. Simon se demanda s'il ne devait pas descendre l'aider. S'il ne s'était pas déjà à moitié déshabillé pour se coucher, il l'aurait fait.

*

* *

Il s'éveilla dans le noir, entendit un petit bruit de frottement, comme du métal contre le bois, et s'assit. Dans la pénombre, une silhouette amorphe oscillait, comme si elle dansait d'un pied sur l'autre. Simon plissa les yeux pour enregistrer des épaules larges, un corps d'une maigreur absurde, des bras raccourcis. On aurait dit un costume tribal fantastique.

La silhouette s'immobilisa avant de se dissoudre dans les ténèbres. Simon retomba sur son lit et inspira longuement, profondément, pour se calmer. Il avait horreur de se réveiller en pleine nuit. Ce soudain retour à la conscience le décontenançait. Il ne pouvait plus faire la différence entre le rêve et la réalité. Il inspira encore une fois jusqu'à ce que ses poumons soient près d'éclater, puis exhala lentement. Une brise odorante filtrait par la fenêtre. La nuit se rafraîchissait, et une autre tempête devait balayer la côte. Inhabituel pour un mois de juillet.

Il se recroquevilla sur le flanc et tendit la main pour toucher l'espace vide à côté de lui. Cela l'effraya un moment. Amy n'était pas là. Davey non plus. Dans la maison, il n'y avait qu'une présence humaine, la sienne, et celle de Casper qui devait dormir dans un coin douillet. Les chiffres lumineux du réveil enregistrèrent le passage d'une autre minute de sa vie, 1:15 devenant 1:16. La nuit ne deviendrait pas plus noire encore.

Simon se remit sur le dos. Une rafale de vent se répandit dans la chambre, et la silhouette humaine drapée d'ombre se mit à danser.

13

Il s'habille en noir, des pieds à la tête, une casquette inclinée sur les yeux. À minuit, il quitte l'auberge par la porte latérale. Personne ne le remarque. Il se sent invisible, privé de substance, une conscience sans corps. Quelques véhicules le dépassent, en route vers la ville, et il se demande ce que leurs conducteurs perçoivent de lui.

Il se gare dans la rue et observe la maison. Il n'y a pas grand-chose à voir, juste une seule lumière à la fenêtre du premier étage. Au bout d'un moment, une ombre passe et la lumière s'éteint. Il attend encore un moment, puis descend de voiture. Il traverse la rue pour continuer sur l'allée sans se presser. Cette fois, il ne prend pas la peine d'essayer d'ouvrir la porte de devant, mais fait le tour de la maison. Celle d'à côté est plongée dans les ténèbres : les voisins doivent dormir. Il tourne le bouton de la porte de derrière. Elle s'ouvre.

Il tend l'oreille – pas d'aboiements, pas le moindre bruit. Il entre dans la cuisine et laisse ses yeux s'accoutumer à la faible lumière provenant d'un appareil ménager quelconque. Il a encore le choix : s'arrêter là ou continuer ? Il traverse la pièce, hésite un instant, puis s'engage dans le vestibule. Il pivote et pose le pied sur la première marche. C'est un escalier solide couvert d'un épais tapis, et il ne grince pas. Il le monte prudemment, une main sur la rambarde. Il dénombre en chemin, de un à onze, les degrés particulièrement hauts. Arrivé sur le palier, il regarde à droite, dans une petite chambre avec un lit placé contre le mur. Personne. Il longe le couloir jusqu'à une autre porte grande ouverte. Il passe sa tête par l'embrasure. Sur le lit, une silhouette est allongée, le drap se soulevant au rythme de sa respiration, dormant du sommeil de ceux qui n'ont pas le moindre souci au monde. Il l'entend chasser l'air de ses poumons avant d'inspirer à nouveau. Cette vue le détend quelque peu, et il se surprend à synchroniser sa propre respiration avec celle de l'inconnu. Il se sent apaisé, comme s'il dormait lui aussi. Il est déjà allé plus loin qu'il ne l'aurait cru possible. Flotter comme un fantôme dans cette maison a quelque chose d'euphorisant. Il ne s'est jamais senti si léger, presque immatériel. À sa grande surprise, c'est une sensation agréable. Bien sûr, il ferait mieux de partir avant de commettre un impair qui déclencherait une réaction en chaîne impossible à contrôler. Mais il veut voir cet homme dans son état le plus dépouillé. Dans le sommeil, personne ne peut faire semblant. Il franchit le seuil de la chambre avec l'impression de glisser sur le plancher plutôt que de soulever son propre poids, s'arrête à quelques dizaines de centimètres du lit et fixe le dormeur. Sa silhouette ne tarde pas à émerger de l'obscurité : la chevelure épaisse, les lèvres minces, le nez droit et étroit.

Un visage aussi attrayant que quand il était petit. Tellement symétrique.

Soudain, le dormeur inspire profondément, et l'intrus se cache derrière le portant. L'homme allongé lève la tête, semble regarder autour de lui, puis retombe sur le lit. Quelques minutes plus tard, sa respiration redevient régulière, et il ressort de son coin d'ombre. Sur la commode, il trouve un coupe-papier avec une lame longue et fine. Il le ramasse, le soupèse dans sa main gantée de cuir. Sur le lit, le corps remue, les bras animés de soubresauts comme s'ils étaient attachés. De sa main, il étouffe sa propre respiration et se penche en avant. Il voit bouger les yeux sous les paupières, le reflet d'un rêve. De quoi peut-il bien rêver ? Il ressent un étrange désir de le savoir, d'arracher le dormeur à son sommeil pour lui poser la question. Peut-être qu'il dégringole dans un escalier, un cliché de ce genre, un esprit sur le point de céder à ses instincts les plus primaires. Ou peut-être une confusion d'images, les affabulations aléatoires d'un cerveau incapable de trouver le repos. Et pourtant, pour peu qu'on y regarde assez longtemps, on peut trouver une signification au cœur du chaos apparent.

Alors que doit faire celui qui perturbe ses rêves ? Fuir ? Poignarder ce dormeur ? Il doute de pouvoir s'y résoudre, mais qui aurait cru qu'il soit capable d'aller si loin ? Une rafale de vent bruisse dans les arbres dehors avant de s'engouffrer dans la chambre, faisant battre les rideaux bleus contre l'appui de la fenêtre. L'afflux d'air glacial hérisse de chair de poule ses bras. Comme prévu, la température chute, et un front froid s'annonce. Pourquoi l'habitant des lieux n'a-t-il pas fermé sa fenêtre avant de se coucher ? N'a-t-il pas écouté le bulletin météo de 23 heures ? Quelqu'un de prudent noterait les changements de température et ajusterait l'aération en fonction de celle à venir, non de celle de l'instant présent.

La main tenant le couteau se décrispe. Son bras pend le long de sa jambe, la lame pointée vers le bas, inoffensive. Le désir fugace de tuer s'évapore de sa conscience. S'il est là ce soir, c'est juste pour satisfaire sa curiosité – son obsession, pourrait-il admettre. Le coupe-papier posé sur le bureau n'était qu'une coïncidence. Il aurait pu être rangé dans un tiroir, avec les carnets et les stylos, ou simplement ne pas se trouver à cet endroit particulier. Alors, l'idée de tuer ne lui serait pas venue. Plonger une lame, même émoussée, dans un corps vivant ne devrait pas résulter d'un concours de circonstances.

Ainsi, le visiteur indésirable repart comme il est venu, à pas silencieux. Une fois de plus, il regarde dans la pièce de l'autre côté du couloir. Sur le lit, un petit cercle de fourrure repose sur l'oreiller. Il admire la façon dont, parmi toutes les espèces animales, les chats ont le don d'ignorer les allées et venues des humains qui ne les intéressent pas. Ce serait agréable d'être d'une telle insouciance. Il résiste à la tentation d'aller caresser l'animal. Il est déjà resté beaucoup trop longtemps. Il regrette ne pas pouvoir explorer la maison – la disposition du rez-de-chaussée, les angles et les espaces. En descendant les marches, il apprécie le confort du tapis sous ses pieds et la lumière tamisée qui provient du réverbère. Son propre appartement est si lumineux, si froid. Il fourre le coupe-papier sous le tapis de la dernière marche, où la légère bosse sera peut-être remarquée un jour ou deux plus tard. Bien sûr, un rôdeur expérimenté ne laisserait pas la moindre trace de son passage. Il ne resterait que l'empreinte légère de ses chaussures – de pointure standard – sur le tapis et, dans l'air, les effluves d'un savon au parfum diffus, difficile à définir. Sinon, rien.

Il sort dans la brume et remonte le col de sa veste. La morsure du froid le fait frissonner. Il ne devra pas prendre de mesures draconiennes, du moins pas pour l'instant. Une pensée réconfortante. Violer le sanctuaire qu'est la maison de cet homme est bien suffisant, du moins pour une nuit froide et humide comme celle-ci.

14

Le carnaval d'été arrivait à Red Paint. De son bureau, Simon voyait les employés municipaux installer les deux rangées de tentes bleues pour créer une allée artificielle. La rapidité avec laquelle ils pouvaient transformer la place en parc d'attractions le stupéfiait. Dans trois jours, il n'en resterait plus que quelques marques dans l'herbe, et la foire serait partie pour une autre ville.

Il perçut un mouvement devant son bureau et leva les yeux. Un petit homme trapu vêtu d'un jean et d'une chemise à carreaux rouge lui tendait la main.

– Dan LeBeau. On s'est rencontrés à un déjeuner de la chambre de commerce il y a quelques mois. Je tiens la quincaillerie LeBeau.

Simon prit maladroitement la main offerte et s'empressa de la relâcher.

– Oui, Dan, répondit-il comme s'il se rappelait très bien cet homme, parce que c'était ce qu'on attendait du rédacteur en chef d'un journal local. Que puis-je pour vous ?

LeBeau scruta la salle de rédaction. Dans le coin, Carole pianotait sur son ordinateur, des écouteurs dans les oreilles. Il eut vers elle un mouvement du menton.

– Votre journaliste spécialisée dans les affaires criminelles m'a appelé à propos de cette histoire.

– Quelle histoire ?

– J'ai une directrice financière du nom de Bonnie, elle bosse pour moi depuis huit ans. Cette semaine, j'ai constaté qu'elle me volait. Elle a commencé petit, quelques centaines de dollars de-ci de-là. Puis elle s'est mise à les détourner par milliers et à les déposer sur des comptes bidon. Pour payer les factures, qu'elle disait.

– Donc, vous l'avez dénoncée à la police, et Carole a son article tout prêt ?

– Oui, mais vous ne pouvez pas le publier.

– Pourquoi ?

– Ça me ferait une sale réputation.

Simon enveloppa le reste de son sandwich au thon dans son papier d'emballage et regarda par la fenêtre. Un long camion portant l'inscription « Le plus grand mini-zoo au monde ! » entrait dans Mechanic Street. Comme l'énorme véhicule n'avait ni vitres ni fenêtres, il se demanda si la compagnie de transport traitait correctement ses animaux. Il pouvait envoyer quelqu'un mener l'enquête – Rigero, peut-être, infiltré sous les traits d'un travailleur itinérant. Mais si l'article provoquait la fermeture de la fête foraine, personne ne le leur pardonnerait jamais.

– Donc, reprit LeBeau, vous comprenez ma position.

Pour autant que Simon puisse en juger, sa position se résumait à « Vous ne devez pas publier cet article pour m'éviter d'avoir l'air ridicule ».

– Mon expérience me dit que les lecteurs sympathisent toujours avec la victime, affirma-t-il.

Ça peut les étonner que vous n'ayez rien vu pendant tout ce temps, mais personne ne vous blâmera. Ils penseront que vous êtes un brave type qui s'est fait rouler.

LeBeau se rapprocha du bureau.

– Qui ira acheter de la peinture et des pinceaux à quelqu'un qui n'arrive même pas à gérer son argent ? Il y en a déjà pour raconter que j'arnaque mon monde.

– C'est vrai ?

Une question brutale, mais Simon était content de l'avoir formulée ainsi. Il était déjà allé plus d'une fois faire ses courses chez LeBeau. Celui-ci inclina la tête sur le côté.

– On détermine ce que les gens sont prêts à payer et on indexe les prix. C'est comme ça que ça marche.

– Ça marche parce que vous n'avez pas de concurrence. Vous avez trois magasins, c'est ça ?

– Quatre. On vient d'en ouvrir un à Rawley.

– Donc, vos quincailleries sont les seules à cinquante kilomètres à la ronde.

LeBeau regarda par la fenêtre pendant un instant, réfléchissant à son prochain argument.

– Écoutez, je suis une entreprise privée. Ma comptabilité ne regarde que moi. Je n'ai pas porté plainte contre Bonnie. On s'arrangera entre nous.

Simon se tourna vers Carole.

– Je crains que ça ne soit devenu une affaire publique dès le moment où vous avez prévenu la police.

LeBeau prit la boule à neige posée sur le bureau de Simon et la secoua. Des petits flocons flottèrent dans le liquide pour retomber sur une vue figurant les immeubles de Portland.

– Je suis annonceur dans le *Register*, dit-il. Je pensais prendre une pleine page de pub pour notre nouveau magasin.

Simon se leva.

– La publicité et l'éditorial sont deux départements différents, Dan. On ne peut pas choisir de taire telle ou telle information communiquée par les services de police. Et oui, c'est souvent embarrassant pour quelqu'un, y compris pour nos annonceurs.

– Vous n'avez pas fait d'article sur le graffiti de la semaine dernière. Quelqu'un qui écrit « VIOLEUR » sur la porte du *Register*, ça ne mérite pas un papier ?

Il dit le mot plus fort que le reste de la phrase. Malgré ses écouteurs, même Carole leva les yeux.

– Là, ça devient pathétique.

LeBeau fit passer le globe d'une main à l'autre.

– Bien des gens du coin aimeraient savoir si leur cher journal local abrite en effet un prédateur sexuel.

Simon se dirigea vers la porte, incitant LeBeau à le suivre.

– On n'a rien à cacher, Dan. Mais on a une réputation à tenir, celle de publier toutes les nouvelles du coin, sans faire le tri.

– C'est ça ! Vous faites votre réputation en salissant la mienne. Ça vous plaît ?

Son boulot consistait à donner des nouvelles, et peu importait qui pouvait en pâtir. C'est ce que faisaient tous les journalistes de ce pays, tous les jours. Et quel sentiment en retirait-il : de la fierté, de la satisfaction et de la tristesse mêlées ?

LeBeau posa le globe de plastique dans la main de Simon.

– Je me doutais que vous n'auriez rien à répondre à ça.

*

* *

Alors que Simon tournait pour aborder l'allée menant à son garage, il y vit la Volvo, parquée légèrement de guingois – la marque de fabrique d'Amy. Il poussa la porte d'entrée et remarqua ses sandales noires dans le vestibule, comme si elle les avait retirées sans s'arrêter. Ça le réconfortait toujours de tomber sur des signes de sa présence.

– Amy ?

Il y eut quelques secondes de silence, puis :

– Je suis là !

Il s'empressa de gagner la cuisine. Elle était là, devant l'évier, ouvrant une boîte de conserve. Il passa ses bras autour de sa taille, et elle tourna la tête afin que leurs joues s'effleurent. Il aimait le contact de sa peau lisse. Aucune autre sensation n'était comparable. C'était Amy à l'état pur.

Elle consulta sa montre.

– Tu es en avance.

– C'est parce que, ce soir, je te sors en ville.

– Quelle ville ?

– Red Paint, bien sûr. La fête foraine est de retour.

Elle se retourna entre ses bras pour lui faire face.

– Chaque été, à cette saison, tu retombes en enfance.

– Si l'idée d'aller à la fête ne t'enthousiasme pas, c'est que tu es déjà mort !

Elle se recula de quelques centimètres.

– Cette année, Davey reste à nos côtés, on ne le laisse pas partir tout seul.

– Amy, il a onze ans.

– Onze ans ou huit, c'est pareil.

Simon se pencha pour l'embrasser et sentit quelque chose de différent – un nouveau rouge à lèvres ? un nouveau dentifrice ?

– On ne s'embrasse plus beaucoup, remarqua-t-il lorsqu'ils se séparèrent. Comment cela se fait-il ?

– Je n'ai pas vraiment tenu le compte, répondit-elle avant de déposer un autre baiser sur ses lèvres. Mais en voilà toujours un de plus pour tes archives. (Elle se tourna vers le réfrigérateur.) Lorsque tu monteras, dis à Davey de se laver les mains avant le dîner. Je fais chauffer une soupe de légumes. C'est tout ce que j'ai l'énergie de préparer.

Simon repassa dans l'entrée et ramassa sa sacoche avant de grimper à l'étage. Sur le palier, il s'arrêta devant la chambre de son fils et tendit l'oreille. Il ne l'espionnait pas vraiment, il assemblait des informations, comme il le ferait à la banque ou au supermarché, cherchant à saisir de quoi parlaient les gens. De l'autre côté de la porte, il entendit une voix qu'il ne connaissait pas, plus grave et plus lente que le staccato de Davey. Il tenta de distinguer des mots, mais dut se contenter de « Ouais » et « Nan ». Il frappa. Rien. Il attendit quelques secondes et recommença, plus fort. Toujours rien. Simon entrouvrit la porte et jeta un œil.

– Davey ?

Le garçon était assis sur son lit, les jambes croisées, adossé à ses oreillers, le téléphone contre une oreille, un écouteur dans l'autre.

– Il faut que j'y aille, dit-il un peu trop fort, mon père vient d'envahir ma chambre.

Et il raccrocha.

– C'est l'heure du dîner, ensuite on va tous à la fête foraine.

Le visage du garçon se crispa en un mélange d'incrédulité et de résignation.

– Ça veut dire que je dois y aller avec vous ?

– Ou pas du tout. Ta mère en a décidé ainsi.

*

* *

Des petites lumières blanches s'étiraient entre les arbres des deux côtés de la place, illuminant le terrain comme s'il s'agissait d'une grande scène rectangulaire suspendue dans les ténèbres de l'espace. Un groupe de banjos vrilla l'air, ponctué de cris d'enfants et des braillements d'un bébé aux poumons d'acier. Ils marchaient au milieu de la foule, bousculés de toutes parts. Il posa une main sur l'épaule d'Amy.

– Il n'y a jamais eu tant de monde, dit-il. On peut à peine avancer !

Elle lécha son cône de glace au chocolat.

– Où est Davey ?

Il observa les lumières tourbillonnantes du manège, tentant de discerner la petite silhouette de leur fils.

– Il est là, aux pistolets à eau, répondit-il en désignant une vague direction. Par là.

– Tu le vois ?

– Pas à l'instant, mais…

– Tu m'as dit que tu gardais un œil sur lui !

Simon se hissa sur la pointe des pieds, cherchant la casquette bleue révélatrice.

– D'accord, je le vois. Mais c'est ridicule. On ne peut le surveiller à chaque instant parce que, un soir, on s'est monté la tête.

Elle se rapprocha afin de pouvoir l'entendre.

– Je ne me suis pas monté la tête. C'est la personne que Davey a vue devant la porte qui m'a fait peur.

– C'était peut-être juste un représentant ?

– À 20 heures un jeudi soir ? Et pourquoi n'a-t-il pas sonné ?

Ils avaient déjà eu cette conversation. Il n'avait pas toutes les réponses.

– Une fête foraine est l'endroit rêvé pour un prédateur voulant enlever des enfants, ajouta-t-elle.

– Si Davey n'est pas en sécurité au cœur même de Red Paint, autant émigrer au Canada.

De la main tenant le cône, Amy désigna la tente.

– Qu'est-ce qu'il fait en ce moment ?

Sans pouvoir s'en empêcher, Simon prit une expression perplexe.

– Il parle à quelqu'un.

– À qui ?

– Impossible de le dire, un homme quelconque.

– Un homme ?

Amy se fraya un chemin au milieu de la foule.

– Davey ! cria-t-elle, si fort que tout le monde se retourna pour la dévisager.

À une vingtaine de mètres de là, le garçon la salua d'un geste de la main et se dirigea vers eux. Ils le perdirent de vue pendant un instant, puis il apparut à leurs côtés.

– Hé, m'man, je peux…

– Qu'est-ce que cet homme te voulait ?

– Quel homme ?

Elle désigna la tente, mais il n'y avait là qu'une masse de dos anonymes.

– Celui à qui tu parlais.

– Je ne sais pas.

– Alors pourquoi discutais-tu avec lui ?

– Il m'a dit bonjour, je lui ai rendu son salut. C'est vous qui m'avez recommandé d'être poli avec les gens.

– C'est le père d'un de tes amis ?

– Peut-être.

– Peut-être ?

– Je pense, parce qu'il connaissait mon nom. Même s'il m'a appelé David.

– Il connaissait ton nom ?

– Ben oui, et alors ?

– Qu'a-t-il dit d'autre ?

– Je ne m'en souviens pas. Je peux avoir six dollars pour les autos-tamponneuses ? S'il vous plaît ?

– Les autos-tamponneuses ne coûtent pas si cher, remarqua Simon.

– Trois tours, si.

Amy tira deux dollars de son portefeuille. Davey s'en empara.

– Merci.

– On vient te regarder, déclara-t-elle.

Davey plissa son visage pour lui donner une expression de dégoût différente de la précédente. Il semblait disposer d'une infinité de moyens pour exprimer sa révulsion.

– P'pa ?

Simon avait pensé aller avec lui pour répéter leur bataille de l'an dernier, lorsqu'ils n'avaient cessé de se rentrer dedans à chaque tournant. Mais apparemment, cette année, Davey préférait être seul.

– On n'a qu'à le regarder monter dans sa voiture, suggéra Simon à Amy, puis aller nous balader en attendant qu'il ait fini ?

Alors que Davey partait en courant, un jeune homme s'avança devant eux. Il était mal rasé et ses cheveux bouclés s'agglutinaient sur sa tête. Amy agrippa le bras de Simon.

– Monsieur Howe ? dit le jeune homme avec un sourire dévoilant des canines pointues, comme limées. C'est moi, Randy… vous savez, le « héros » de Dakin Road.

– Ah oui, Randy Caine, fit Simon en se détendant. Je ne vous avais pas reconnu. Vos photos de police ne sont pas très ressemblantes.

– Ouais, ils ne prennent jamais mon meilleur profil.

Amy lui donna un petit coup de coude. Bien sûr, il devrait la présenter, mais à Randy Caine ? Si elle refusait de se retrouver face à David le violeur, que penserait-elle de Randy le trouble-fête invétéré et délinquant notoire ?

– Amy, je te présente Randy Caine. Il nous a fait l'honneur de figurer dans nos colonnes, plus d'une fois.

Elle lui tendit la main, ce qui sembla surprendre Randy. Il essuya ses doigts sur la manche de son bras gauche, puis la serra vigoureusement.

– Enchanté, madame Howe. Votre mari me donne toujours le beau rôle.

– Il fallait du courage pour faire ce que vous avez fait, affirma Simon. Sauver une petite fille d'un incendie méritait largement la première page. Je suis désolé, mais on n'avait que vos photos de police dans nos archives.

– C'est pas grave. Tout le monde dit que je suis Superman ou quelque chose comme ça. Ça fait bizarre d'être un héros.

– Oui, on ne s'attendait pas à ça venant de vous.

Amy le regarda comme si elle le trouvait grossier, mais Randy acquiesça sans se formaliser.

– Ça ne risque pas de se reproduire. Je veux dire, les flics qui me tapent dans le dos, les gens qui m'arrêtent dans la rue pour me serrer la main. Le prochain qui vient vers moi…

– On a tous une croix à porter, interrompit Simon afin que Randy n'ait pas à formuler sa menace. Pour le meilleur ou pour le pire.

– Définitivement pour le pire, acquiesça Randy avant de se fondre dans la foule.

*

* *

Après les autos-tamponneuses, Davey les convainquit de tenter le Labyrinthe des Miroirs.

– Très peu pour moi, déclara Amy. Je n'ai pas envie de me regarder errer entre deux plaques de verre.

– Alors tu dois venir avec moi, p'pa.

– Je ne sais pas, rechigna Simon, feignant le manque d'enthousiasme.

Davey lui prit la main et l'entraîna vers la porte de l'attraction. Il tendit deux billets au forain et s'engouffra dans la salle pour se cogner contre le premier miroir.

– Attention, dit Simon, tu vas le briser.

– Il est incassable.

Davey donna un coup de poing dans la surface vitrée pour le confirmer, puis tendit les mains pour couvrir le visage de son père.

– Ferme les yeux.

– Pas question de m'engager dans ce truc en aveugle !

– Juste le temps de tourner sur toi-même, et puis tu y vas. C'est ce que je vais faire.

Simon s'exécuta et sentit les petites mains de Davey sur ses hanches, le faisant tourbillonner. Après deux révolutions, il ouvrit à nouveau les yeux. Son fils était parti.

– Davey ? Où es-tu ?

Simon se retourna, tendit les mains, toucha du verre, se retourna de nouveau.

La tête du garçon apparut de biais entre deux miroirs, semblant flotter dans l'espace. Deux mains jaillirent, enserrant son cou maigre. Il écarquilla les yeux, la langue pendante, puis disparut d'un coup.

– Très drôle, dit Simon. Maintenant, reste là où tu es et attends-moi.

Il s'avança prudemment, se cogna contre un mur de verre, se retourna, se cogna de nouveau, tourna encore et se heurta encore à un miroir. *C'est impossible ! Il y a forcément une sortie !* Il tendit les doigts et toucha le miroir. Un homme apparut alors, bien que Simon n'eût su dire s'il était devant ou derrière lui. Il voulut lui demander la direction à prendre, ou le suivre, mais la silhouette restait immobile. Et à quel homme poserait-il la question, de la douzaine qui l'entourait de toutes parts ?

– Davey ? fit Simon, avant de répéter, plus fort : Davey ?

– Vous avez perdu quelqu'un ?

La voix se voulait rassurante, celle du dieu des Miroirs régnant sur son domaine. Mais un dieu avec une casquette de base-ball cachant la moitié de son visage.

– Vous avez vu un petit garçon ?

– Un gamin de dix ou onze ans, mince, avec des cheveux blonds ?

Simon fixa l'image fractionnée.

– Oui.

Une centaine de sourires lui répondirent.

– Oui, je l'ai vu. Vous avez de la chance d'avoir un si beau garçon.

Beau. Simon s'avança de quelques dizaines de centimètres et se cogna contre une vitre. L'homme éclata de rire.

– Prenez tout votre temps et ne vous fiez pas à vos yeux.

Puis il disparut.

Maintenant, la seule image que Simon puisse voir était la sienne, dix Simon et, lorsqu'il fit un pas de côté, une centaine. Et pas un seul Davey.

– Davey ! cria-t-il.

Il courut, battant des bras, tournant et tournant sur lui-même jusqu'à ce qu'il trouve un espace dégagé. C'était comme si le labyrinthe avait disparu tout d'un coup. Il n'y avait qu'une issue et il l'avait trouvée : le sentier magique. Il ne tarda pas à entendre les bruits de l'extérieur, des flonflons d'orgue familiers, puis une bouffée d'air frais frappa son visage. Un instant plus tard, il était dehors, derrière le Labyrinthe des Miroirs, face au bâtiment du *Register*. Et Davey était là, relaçant ses baskets.

Le garçon leva les yeux.

– Pourquoi tu as mis si longtemps ?

*

* *

Simon préféra ne pas parler à Amy de l'homme qu'il avait vu dans le labyrinthe. Que dirait-elle en apprenant qu'un parfait inconnu avait déclaré que Davey était un « beau garçon » ? Elle pourrait devenir hystérique, s'il avait encore le droit d'employer ce terme, et ne plus quitter son fils des yeux.

Simon les dirigea vers la sortie. À mi-chemin, il dit :

– Ça suffit pour ce soir, fiston. Demain, il faut qu'on bosse, ta mère et moi.

– Encore un manège, rien qu'un ! fit Davey de son ton suppliant habituel.

Quelle que soit l'occasion, il demandait toujours une dernière fois.

Simon regarda les attractions les plus proches : la grande roue, la catapulte et, un peu plus loin, les Tasses à thé, juste à côté de la sortie.

– Bon, d'accord, tu peux faire un tour des Tasses à thé, mais après on s'en va.

Il lui donna deux dollars. Davey partit en courant, mais ni Simon ni Amy ne le quittèrent des yeux. Lorsqu'ils atteignirent l'entrée, le garçon choisissait déjà son siège. Ils le virent lever la barre de métal et s'asseoir sur la banquette. Quelques minutes plus tard, le manège se mettait en branle.

Amy glissa sa main dans celle de Simon et se pencha sur la rambarde.

– Je n'ai jamais aimé cette attraction, dit-elle. On ne cesse de se rentrer dedans.

– C'est le but du jeu, répondit Simon. Percuter tes potes le plus violemment possible.

Ils regardèrent tournoyer le manège, les tasses multicolores virevoltant sur leurs axes. Il y avait de quoi vous donner le tournis.

– J'ai perdu le fil, dit Amy. Où est Davey ?

Simon tendit le doigt vers la gauche, mais le temps qu'Amy se retourne, la nacelle était partie.

– La rouge, je crois, elle vient vers nous.

La tasse rouge passa devant eux. Davey était dedans, un sourire dément sur son visage, agitant les bras en poussant des cris de joie. À côté de lui, il y avait un homme, la bouche grande ouverte, comme figé dans cette position. La tasse disparut.

Amy serra le bras de Simon.

– Tu l'as vu ?

– Oui. Il a l'air de bien s'amuser.

– Je parle de l'homme. Il y a un adulte dans la nacelle de Davey.

Ils se concentrèrent sur la tasse rouge et, lorsqu'elle vint à nouveau vers eux, elle passa de dos, sans qu'ils puissent distinguer les visages. Amy entraîna Simon sur le côté pour mieux voir, mais la tasse disparut de leur champ de vision.

Le manège prit de la vitesse. Les nacelles volèrent autour de l'axe tout en tournant sur elles-mêmes. Ils purent voir Davey à nouveau, cette fois repoussé en bordure de la banquette, cloué contre l'homme, presque sur ses genoux.

– Oh, bon sang !

– Il est dans un lieu public, Amy.

Une minute plus tard, le manège ralentit. Simon scruta la tasse rouge pour évaluer où elle allait s'arrêter puis partit contre la rambarde dans le sens inverse des aiguilles d'une montre afin d'aller à sa rencontre. À quelques mètres devant lui, Davey sauta à terre. L'inconnu était juste derrière lui.

– Davey ? lança Simon.

Mais le garçon ne l'entendit pas ou, s'il le fit, ne réagit pas. L'homme et lui se dirigèrent vers la sortie située de l'autre côté du manège. Davey levait de temps en temps les yeux comme s'il était en pleine discussion avec son compagnon. Lorsqu'il passa la porte, il se retourna et courut vers ses parents.

– Je peux refaire un tour, p'pa ?

– Qui était à côté de toi ?

Davey jeta un coup d'œil en arrière.

– Je sais pas, un type.

– Il t'a touché ?

– Touché ?

– On aurait bien dit qu'il te touchait, insista Amy, arrivant derrière eux.

– C'est un manège, m'man. Difficile de ne pas se rentrer dedans.

– Il t'a parlé ?

– Je ne sais pas, il hurlait, comme moi. Comme tout le monde. Je peux y retourner, m'man ?

– On rentre à la maison.

Elle prit la main de Davey, mais il la lui arracha.

– Qu'est-ce que tu fais ?

Simon donna un petit coup d'épaule à son fils.

– Il est temps de partir.

15

Adossé au camion à saucisses, inhalant des odeurs de viande grillée, il surveille la porte. Inutile de se cacher. Paul Chambers n'existe pas, et personne ne le reconnaîtrait sous l'identité de Paul Walker, même s'ils étaient allés à l'école avec lui ou avaient habité la même rue. Son visage s'est empâté, comme tout son corps, et ses cheveux se raréfient. Il ne porte plus de lunettes. Il a une petite moustache et une paupière légèrement tombante, comme s'il ne s'était pas tout à fait remis d'un AVC prématuré. Il est méconnaissable, il en est sûr. Et inattendu. Personne n'aurait l'idée de lui demander : « D'après vous, que fait Paul Walker ces derniers temps ? ». Personne ne demanderait s'il était de Red Paint. Tout le monde s'en fiche.

Une heure passe, une heure interminable, comme à chaque fois qu'on attend quelque chose. Comme ce moment où il avait attendu à ce même endroit, l'été de ses seize ans, dans l'espoir de voir Jean. Il était sûr qu'elle ne viendrait pas, sûr qu'il avait mal compris lorsqu'elle avait marmonné qu'elle le retrouverait à 19 heures à la fête foraine. Et soudain, elle fut là, avec un quart d'heure de retard, vêtue d'une robe sans manches que la moindre brise soulevait. Il aurait voulu qu'ils descendent le chemin bras dessus bras dessous, mais elle affirma se sentir gênée au milieu de toutes ces filles en short. Il la mena à l'arrière des attractions, là où la lumière était moins agressive, en se demandant si, plus simplement, elle ne voulait pas être vue en sa compagnie. Il avait de l'argent et lui proposa une glace, ou un sandwich, ou un soda. À chaque fois, elle répondit : « Non merci ». Elle accepta tout de même de faire un tour de manège et choisit la grande roue. Leur nacelle s'immobilisa au sommet et, de là, ils purent contempler les lumières de Red Paint et chercher à distinguer leurs maisons. Pendant qu'elle se penchait sur le côté, il posa la main sur son genou, juste sous la couture de sa robe. Il bougea un peu ses doigts, puis la roue s'ébranla de nouveau.

Maintenant qu'il se retrouve au même endroit, il se sent un peu bête. Ceux qu'il attend sont peut-être arrivés en avance et se promènent dans les allées. Ils peuvent aussi venir un autre soir, puisque la fête foraine est là pour trois jours. Il s'écarte du camion et repère Simon qui passe la grille, sa femme à ses côtés. Une minute de plus, ou deux, et il les aurait ratés. Est-ce ainsi que Dieu planifie les choses, en faisant en sorte que tout se passe au bon moment ?

Ils se tiennent la main, un geste intime. Les paumes pressées l'une contre l'autre. Les doigts entrelacés. *On est ensemble.* Voilà ce qu'ils annoncent au reste du monde. *On a quelqu'un avec qui rentrer à la maison, quelqu'un à enlacer, quelqu'un à embrasser. Et vous ?*

– Viens, Davey ! crie Simon par-dessus son épaule.

Le gamin court les quelques mètres qui les séparent comme un bon fils obéissant. *Davey.*

Lorsqu'ils passent devant lui, Paul se penche comme pour essuyer ses chaussures. Puis il les suit le long du chemin, en retrait, se mêlant aux autres passants.

*

* *

Il a toujours aimé le Labyrinthe des Miroirs, l'impression de pouvoir s'y dissoudre, s'y cacher, observer, puis réapparaître à volonté. Ou pas du tout. Maintenant, il fixe son reflet dans la glace, les mains sur les hanches. Elle lui rend son regard vide. Il y a peut-être de vagues contours là où devrait se trouver un corps, la suggestion d'une présence, l'impression d'une forme passagère. Il entend des pas, se fige, attend. Puis une voix émet un drôle de bruit, comme un claquement. Un instant plus tard, le gamin apparaît, les yeux fermés, donnant des coups de poing devant lui. Ses petites phalanges heurtent le ventre de Paul, et il ouvre aussitôt les yeux.

– Pardon, m'sieur, je voulais pas vous taper.

– C'est bon, répond Paul en posant une main rassurante sur l'épaule du garçon, Quand j'avais ton âge, moi aussi je traversais le labyrinthe les yeux clos. J'imagine qu'on est deux à connaître ce truc.

– Ce truc ?

– Comme quoi, si tu fermes les yeux, les miroirs ne peuvent plus te tromper.

Davey plisse les yeux pour le regarder.

– On ne s'est pas déjà vus quelque part ?

– Peut-être. Je suis là depuis l'ouverture de la fête.

Davey fait un pas, heurte une surface de verre, éclate de rire et fait des grimaces. Dans le miroir, une douzaine de garçons lui renvoient des sourires déments.

16

Une boule de fourrure blanche s'étalait sur la table du déjeuner, se prélassant dans le rayon de soleil qui baignait de lumière la grande baie vitrée. Amy était assise sur le banc, caressant la tête de Casper d'une main, un livre dans l'autre. Simon posa un bloc-notes jaune sur la table et s'assit face à elle. Il planta son stylo plusieurs fois dans les fesses du chat. Pas de réaction.

– J'imagine qu'on a renoncé à interdire à Casper de monter sur nos espaces repas.

– Pourquoi prendre cette peine ? Elle le fait toute la journée quand on n'est pas là. (Amy tourna une page déjà cornée.) Que penses-tu de ça : « Seule la tristesse fait grandir » ?

– Ça me semble juste. De qui est-ce ?

Amy leva son livre pour qu'il puisse le voir. *Semrad : le cœur d'un psychothérapeute*. Il en conclut qu'il était censé savoir qui était cet homme. Elle devait lui avoir dit ce nom un tas de fois.

– Oh, oui, ce vieux Semrad.

– Il a enseigné à toute une génération de thérapeutes comment entrer en résonance avec leurs patients avec le cœur et pas seulement la tête. Mais je crois qu'il a pris le problème à l'envers. Les gens ne grandissent pas lorsqu'ils sont tristes : ils sont trop occupés à *être* tristes. Et c'est pareil s'ils sont en colère ou déprimés... ils sont piégés par leurs émotions.

– Tu oses remettre en question l'éminent Semrad ?

– Audacieux, n'est-il pas ?

Simon écrivit sur son bloc, et Amy laissa son livre se refermer sur ses doigts.

– Tu rédiges ton édito ?

– Conformément à ta suggestion, je prends pour postulat que celui qui envoie ces cartes postales est dangereux. Je fais donc une liste de tous ceux qui pourraient vouloir me faire taire, me tuer ou me mutiler.

Il griffonna un nom, et Amy se pencha par-dessus la table pour le déchiffrer.

– Qui est Ray Jefferson ?

– Mon premier colocataire après la fac. À la fin de l'année, je lui ai dit de se trouver une autre piaule.

– Pourquoi ?

Simon tenta de se projeter dans cette existence passée.

– Il me semblait hypocrite. Il faisait des phrases du genre : « J'aime l'odeur de l'hiver, pas toi ? » ou « Faire de la musique, c'est comme faire l'amour », une autre de ses sentences. Il faisait semblant d'être sensible.

– Peut-être croyait-il que ça te plairait.

– Qu'est-ce que ça pouvait bien me faire qu'il soit sensible ?

Amy haussa les épaules.

– C'est une qualité plus qu'un défaut.
– Pas chez un homme de vingt-deux ans.
– Attends… il n'était pas homo, par hasard ?
– Non, je ne l'ai pas fichu dehors parce qu'il était homo, ni parce que je le soupçonnais de l'être, si c'est ce que tu sous-entends.
– Comment a-t-il réagi ?
Simon se souvint de son expression, un étrange mélange de gêne et d'incrédulité avec une certaine dose de haine.
– Il a dit que si je le jetais dehors, il ne s'en remettrait pas. Et j'imagine que ce fut vrai, pour un temps. Il a fait dix-huit mois de prison pour possession de cocaïne. Il peut m'en rendre responsable.
Amy tendit la main pour caresser Casper. La chatte s'étira, exposant son ventre.
– Tu crois qu'il t'en voudrait encore vingt ans plus tard ?
– Je ne sais pas. Une chose est sûre, il était du genre rancunier.

*
* *

Lorsque Simon appela Davey pour le dîner, le garçon dévala les marches quatre à quatre, comme à son habitude, au risque de trébucher et d'aller percuter la porte de devant. Arrivé en bas, il s'accrocha au pilastre pour négocier le virage vers le vestibule. Simon vit alors un mince manche de métal sortir de sa poche de pantalon.
– Attends ! Qu'est-ce que c'est que ça ?

Davey se tordit le cou pour regarder derrière lui.
– Quoi ?
– C'est un couteau ?
Il le sortit.
– Non, un coupe-papier.
– Un coupe-papier, c'est un couteau.
Le garçon passa son doigt sur la lame.
– Pas quand il est si émoussé. Il ne trancherait même pas de la soupe.
Simon tendit sa paume. Davey y plaça le coupe-papier la pointe en avant.
– Pourquoi l'as-tu pris dans mon bureau ?
– Pourquoi veux-tu que je m'intéresse à ce machin ?
– Je te pose justement la question.
– Je l'ai trouvé dans l'escalier, d'accord ? Il était à moitié coincé sous le tapis. (Il désigna l'endroit en question.) Tu ne devrais pas le laisser traîner, p'pa. J'aurais pu marcher dessus pieds nus.
– Ce n'est pas moi qui l'ai mis là, Davey.
– Tu crois que j'aurais pu me blesser et choper le tétinos ?
– On dit tétanos, et tu es vacciné.
– Oh, me voilà rassuré !
– Attends, tu n'es pas sorti avec, hein ?
Davey eut une hésitation.
– Pas vraiment.
– Qu'est-ce que ça veut dire ?
– Que je l'ai mis dans ma poche et que je l'ai oublié quand je suis allé chez Kenny.
– Ne me dis pas que tu l'as emporté ?
– D'accord, je ne le dis pas.
– Davey, est-ce que tu l'as sorti ?

– Pas vraiment.
– Arrête avec ça ! Soit tu l'as fait, soit tu ne l'as pas fait !
– Il est tombé de ma poche pendant qu'on s'amusait.
– Et après, tu l'as mis en sécurité ?
– Bien sûr ! Tu crois que j'ai envie de me couper accidentellement ?
– Je ne sais plus ce que tu as dans la tête.
– Oui, je suis un mystère ambulant. Je peux aller à table, maintenant ?
– Vas-y, dit Simon en regardant la marche, là où le tapis était légèrement soulevé, à l'endroit précis désigné par Davey.

*
* *

Cette nuit-là, alors qu'il gisait sur son lit, le bloc jaune sur ses genoux pliés, il continua la liste de ceux qui pourraient lui en vouloir. Elle semblait devoir se prolonger à l'infini. Amy laissa retomber son *Semrad* sur sa poitrine.
– Ta liste s'allonge.
– J'en suis à onze, pour l'instant.
– Tu crois qu'il y a vraiment onze personnes qui pourraient te vouloir du mal ?
– Comme tu l'as déjà souligné, je suis rédac chef d'un journal et, apparemment, j'ai le don de me faire des ennemis.
Il griffonna un douzième nom, celui de Dana Maines. Amy inclina la lampe orientable pour éclairer le bloc.

– Qu'est-ce que tu lui as fait ?

– On voulait partir pour Los Angeles ensemble après avoir fini nos études à Bowdoin. Elle voulait devenir actrice, et moi écrire des scénarios où elle tiendrait le premier rôle.

– Apparemment, vous aviez tout prévu !

– Oui, eh bien, tout semblait possible, du moment qu'on réussissait à s'enfuir du Maine. Mais j'ai appris qu'elle racontait partout que je l'enlevais pour l'épouser ; or je n'avais aucune envie de me marier, puisque j'attendais de trouver la fille parfaite. (Il caressa le bras d'Amy.) Alors j'ai pris mon courage à deux mains, suis allé au café où on devait se retrouver et lui ai dit que j'avais changé d'avis.

– Comment l'a-t-elle pris ?

Simon remonta la manche de sa chemise et désigna une série de petites cicatrices juste en dessous de son épaule gauche.

– Elle m'a poignardé avec une fourchette.

– Je croyais que c'étaient les séquelles d'un vaccin !

– Non, c'est Dana. Elle s'est mise à hurler, disant que je l'abandonnais et que ses rêves étaient brisés. J'ai tendu la main pour la calmer, et c'est là qu'elle a frappé.

– Un peu exagéré, non ?

– On peut le dire. Bref, il y a quinze jours, j'ai lu dans le bulletin des anciens de Bowdoin qu'elle est retournée à Portland. Comme je dois m'y rendre pour le pot de retraite de Jack Monroe, du *Herald*, je me dis que je pourrais aller lui demander si c'est elle qui m'envoie de drôles de cartes postales. Ça ne m'étonnerait pas d'elle.

– On a pourtant établi qu'il s'agissait un homme…
– Si toutefois ton analyse graphologique est juste.
– Tu ne chercherais pas une excuse pour aller voir une ancienne chérie ?
– Tu es la seule *ancienne chérie* dans ma vie.
Il se tourna pour l'embrasser, jetant le bloc au sol pour qu'il ne s'interpose pas.

17

Paul Chambers Walker plonge dans les bourrasques qui balayent la ville. Sentir le vent gifler son visage le revigore. À l'est, il distingue une déchirure de bleu entre les arbres lointains. C'est l'Océan, il en est sûr. Tant de choses sont comme ça : faciles à reconnaître pour peu qu'on sache déjà ce qu'on regarde.

Il se tourne vers le petit immeuble de bureaux et regarde la liste des locataires. La voilà : Amelia Howe, premier étage. Il pousse la porte et grimpe le large escalier deux marches à la fois. Sur le palier, la première porte est flanquée d'une plaque dorée : « Levin & Howe ». Il entre dans la salle d'attente. Comme il s'y attendait, elle est déserte en cette fin de journée. Elle est aussi plutôt en désordre, avec des chaises de vinyle bleu bon marché posées au hasard et des magazines éparpillés sur la table basse. La plante verte posée dans un coin, toute jaunie, perd ses feuilles. La porte des bureaux s'ouvre et Amy Howe fait son apparition, ses chaussures à la main. Ses cheveux sont noués en chignon, très professionnel. De près, elle semble plus jeune qu'il ne l'aurait cru lorsqu'il l'a aperçue à la fête foraine, et plus jolie, peut-être.

Elle se tient en équilibre sur une jambe, puis sur l'autre pour enfiler ses chaussures.

– Je ne savais pas qu'il y avait quelqu'un.

– Je ne voulais pas vous faire peur.

– C'est vous qui avez appelé pour prendre rendez-vous à 17 heures ?

Il acquiesce par-dessus son épaule.

– Vous arrosez trop votre plante. Vous allez la tuer.

– Merci. J'y penserai.

Elle le toise sans bouger la tête, juste un léger mouvement des yeux, de haut en bas, un talent qu'elle doit avoir perfectionné au fil des années à prendre la mesure de ses patients, cherchant un spasme ou une indication de ce qui les tracasse. Ils sont seuls dans cette pièce, un homme et une femme. Ressent-elle leur isolement avec la même acuité que lui ?

Elle lui tend sa main droite.

– Bonjour. Amy Howe.

Il la prend et la serre plusieurs fois, accentuant progressivement sa pression.

– Paul Chambers, docteur Howe.

– En fait, je suis une travailleuse sociale agréée.

– Pardon.

Elle retire délicatement sa main.

– En général, je ne reçois pas à cette heure, monsieur Chambers. Mes derniers rendez-vous sont entre 15 et 16 heures.

Il a un sourire un rien penaud.

– Votre secrétaire m'a dit qu'elle devait voir avec vous, et comme elle ne m'a pas rappelé, j'en ai conclu que je pouvais venir.

– Elle a essayé de vous contacter. Apparemment, il y a un problème avec le numéro de téléphone que vous avez laissé.

– Vraiment ? répond-il avec la dose appropriée de surprise dans la voix. Je suis descendu au Bayswater Inn. Je me suis peut-être emmêlé les pinceaux, ça m'arrive parfois. C'est vrai, je l'avoue, je suis un peu dyslexique avec les chiffres. Bien sûr, si c'est trop de dérangement, je peux prendre rendez-vous pour une autre fois.

Elle le regarde d'un air indulgent, toute prête à faire une exception pour un pauvre bougre même pas fichu de donner le bon numéro de téléphone. Quelle menace peut bien représenter un homme offrant si naturellement de s'en aller ?

– Puisque vous êtes là, venez donc.

Paul entre dans son bureau et s'assied dans le fauteuil de cuir. Il passe ses doigts sur la surface lisse et brune de l'accoudoir, peau contre peau. Elle va s'installer derrière son bureau et en tire un bloc-notes. Il jette un regard circulaire et scrute son diplôme accroché au mur : université du Maine, Orono. Une école publique.

– Puis-je vous appeler Paul ?

– Je préfère monsieur Chambers.

– Bien, monsieur Chambers. Qu'est-ce qui vous amène ?

Son ton direct lui plaît : pas de préliminaires, qui êtes-vous, d'où venez-vous, etc. Juste « Qu'est-ce qui vous amène ? ».

– J'ai des pensées dangereuses.

Sa réponse ne semble pas la troubler. Pas de réaction, sauf qu'elle laisse glisser son stylo le long de ses doigts pour tapoter sur son bureau, puis elle le retourne et réitère ce geste. Est-elle nerveuse ou gagne-t-elle du temps ? Peut-être est-elle une ancienne fumeuse qui a constamment besoin de s'occuper les mains ?

– De quel genre ?

– Quel genre ?

– Vos pensées peuvent concerner une chose, une personne ou vous-même.

– Une personne.

– À quelle fréquence ces pensées vous viennent-elles ?

– Tous les jours. (Elle écrit quelque chose sur son bloc.) Plusieurs fois par jour, ajoute-t-il. (Elle l'écrit également.) À chaque instant, en fait.

Maintenant, il est clair qu'elle l'écoute avec attention, alors pourquoi ne pas aller jusqu'au bout ?

– Même mes rêves sont dangereux.

Voilà qui doit faire de lui quelqu'un de redoutable, non ? Il se recule dans son fauteuil, profitant du courant d'air frais provenant des conduits de ventilation du plafond. Il chatouille son nez, ce qui provoque trois éternuements rapides, comme toujours chez lui.

– Dieu vous bénisse, dit Amy.

Il tire un mouchoir de sa poche.

– Vous êtes catholique.

– Pardon ?

– C'est ce que disent les catholiques. Dieu vous bénisse. Durant l'épidémie de peste, le pape a ordonné à ses ouailles de dire ça à chaque fois que quelqu'un éternuait, parce que c'était censé chasser l'âme du corps.

– Je ne suis pas catholique, monsieur Chambers.

– Plus aujourd'hui, peut-être, mais vous avez reçu une éducation religieuse, non ?

Elle ouvre la bouche comme pour répondre, puis regarde son bloc. Il en profite pour parcourir du regard le petit bureau rectangulaire, remarquant son côté spartiate, utilitaire. Il n'y a rien de divertissant sur sa table – pas de Rubik's Cube ni autre casse-tête. Sur les murs, rien qui puisse distraire un patient. Un épais rideau occulte la fenêtre. Voilà le lieu de travail d'une personne rationnelle, pragmatique.

– Ces pensées dangereuses qui vous viennent, reprend-elle, les avez-vous jamais mises en pratique ?

S'il répond de façon positive, elle lui demandera ce qu'il a fait. Négativement, elle en conclura qu'il n'a que de la gueule. Il connaît la chanson.

– Peut-être…

Elle secoua la tête.

– Je ne comprends pas ce « peut-être ».

Bien sûr que non. Ici, on n'accepte pas l'ambivalence. Soit il met en pratique ses pensées dangereuses, soit il ne le fait pas. Soit il est fou, soit il ne l'est pas. Soit ses actions sont justifiées, soit elles ne le sont pas.

– C'est une longue histoire, dit-il. Par où puis-je commencer ?

18

Simon ne s'étonna pas de voir tomber la nouvelle. « Randy Caine arrêté une fois de plus » apparut dans sa boîte mail. Il savait que le délinquant préféré de Red Paint finirait par reprendre ses mauvaises habitudes ; ce n'était qu'une question de temps. Il avait une réputation à tenir et ne se laisserait pas détourner par la soudaine impulsion qui l'avait poussé à bien agir, pour une fois. Simon cliqua sur la dépêche et lut :

La police a arrêté un suspect dans une affaire de vol avec effraction au marché « Chez Flaubert ». Randall Caine, fêté comme un héros la semaine dernière après avoir sauvé une petite fille d'une voiture en flammes sur Dakin Road, a été arrêté ce samedi à 10 h 52 pour s'être introduit chez un résident la nuit précédente.

La police dit avoir arrêté Caine, âgé de 27 ans, dans une ruelle derrière le centre commercial, muni d'une barre à mine et d'un coupe-verre dissimulé dans sa veste. La porte du marché le plus populaire de Red Paint a été forcée. À cette heure, on ignore si quelque chose a été volé.

D'après la police, Caine a déclaré qu'au moment de son arrestation il cherchait un téléphone pour prévenir la police que la porte était ouverte.

Au débotté, il pouvait se souvenir d'au moins cinq articles à peu près similaires depuis qu'il était rédacteur en chef : Caine arrêté pour possession de marijuana, Caine arrêté pour conduite sans permis, Caine déclenchant une bagarre générale au bar Tiger Tavern, Caine violant une injonction du juge, Caine menaçant un avocat (le sien). Le plus jeune membre de la première famille criminelle de Red Paint était bien décidé à laisser sa marque dans l'histoire de la ville. Simon effaça la une et écrivit : « Le héros d'hier arrêté pour cambriolage ». Dans la section remarques, il ajouta : page une, encadré. Randy aimait tenir le premier rôle.

*

* *

Il appela Dana Maines et, après quelques minutes passées à rattraper le temps perdu, proposa de la retrouver à Portland pour déjeuner. Elle accepta avec un tel enthousiasme qu'il se sentit obligé de mentionner Amy pour la première fois de la conversation.

– Tu es marié ? demanda-t-elle.

– Depuis seize ans.

– Et tu m'appelles ?

– Je pensais qu'on pourrait déjeuner ensemble.

– Pourquoi ?

Là, il se retrouvait coincé. Il pouvait difficilement lui dire de but en blanc qu'il voulait s'assurer qu'elle ne le harcelait pas, et il ne tenait certainement pas à lui donner l'impression qu'il cherchait à rallumer une ancienne flamme.

– Tu as raison, dit-il, il n'y a pas de raison valable.

– D'accord, répondit-elle avant de raccrocher.

Ç'avait été si rapide qu'il n'avait même pas eu le temps de lui demander si elle était finalement allée en Californie.

19

Lorsque Paul s'installe à nouveau dans le fauteuil de cuir, il sent la chaleur du corps qui l'occupait avant lui. Il se demande quel pauvre bougre l'a précédé, débitant ses petits malheurs comme s'ils étaient les épreuves de Job. Aux âmes en peine, leur douleur semble toujours aussi intense – insupportable, inimaginable, telle que personne n'en a jamais ressentie. Mais qui échangerait la souffrance qu'il connaît contre celle d'un autre ? Dans la salle d'attente, il n'a vu personne se diriger vers la porte. Comment a bien pu sortir ce malheureux ? Par un passage secret réservé à ceux qui veulent rester incognito ? Il sent le poids de cet étranger invisible, comme une couche de poussière sur le bureau, empilé sur le tapis, son odeur âcre empuantissant l'air. Durant l'heure qu'il a passée ici, il a dû perdre deux millions de cellules, son moi extérieur pelant couche après couche. Paul inspire longuement et profondément, accueillant cet étranger en lui.

– Monsieur Chambers, dit Amy Howe en faisant le tour de son bureau, désolée de vous avoir fait attendre.

Alors, pourquoi l'a-t-elle fait ? Pourquoi l'avoir fait entrer dans son bureau, puis être sortie dans la salle d'attente – pour quoi faire, voir si son collègue le Dr Levin voulait bien rester au cas où ce mystérieux nouveau patient leur ferait des misères ? Pourquoi les gens s'excusent-ils de ce qu'ils auraient pu faire différemment ? Il n'y comprend rien.

– Savez-vous pourquoi le malheur d'autrui nous console de notre propre malheur ?

Elle s'assied sans répondre.

– Parce que le malheur a besoin d'un public.

Elle acquiesce.

– Il faudra que j'y réfléchisse.

Mais, apparemment, pas maintenant.

– Durant notre première séance de lundi, reprend-elle, nous avons parlé de ces pensées qui vous dérangent, et nous allons continuer dans un instant. Mais d'abord, je voudrais obtenir quelques informations basiques.

– Non, répond Paul.

– Non ?

Pas de doute, elle est attentive, il le voit à l'inclinaison de sa tête, à ses yeux écarquillés, à sa langue hésitant juste derrière ses lèvres. Il tire son mouchoir et le frotte contre son nez pour prolonger le moment.

– Mes pensées ne me dérangent pas, comme vous dites. C'est juste que j'en suis conscient en permanence. En fait, je les trouve très intéressantes.

– Bien, nous y viendrons dans une minute. Avez-vous déjà cherché de l'aide précédemment ?

Il remarque que son œil droit s'étire plus que le gauche, comme s'il avait été pincé par des doigts modelant de la glaise, une erreur de la main d'un créateur mineur. Un peu de chirurgie esthétique pourrait sans doute tout arranger, si toutefois ça la tracasse. Il regrette cette tendance qu'il a, de toujours remarquer les imperfections les plus infimes en se demandant comment elles affectent la vie de ceux qui en sont affligés. Quelle était sa question, déjà ?

– Avec un thérapeute ou un psychiatre, reprend-elle. Ou un prêtre ?

– Oui.

– Avec… ?

– Un chien.

– Votre chien ?

Paul tousse un peu, laissant pénétrer sa réponse et ses ramifications psychologiques. Et elles seraient nombreuses. Il voit une marque brune, légèrement proéminente, sur le côté droit de son visage, visible uniquement sous une certaine lumière. Une marque cancéreuse, peut-être. Une chance sur dix. Doit-il mentionner cette tache qui peut être mortelle ? S'en offusquerait-elle ?

– En fait, c'était le chien de Jean, un collie à la fourrure rousse et aux yeux d'un bleu de glacier. Elle s'appelait Sadie.

– Est-ce que vous vous payez ma tête, monsieur Chambers ?

– Je sais, ça semble ridicule.

Et voilà, il recommence à admettre son excentricité. Les gens bizarres *et* dangereux n'agissent pas comme ça, parce qu'ils ne se rendent pas compte de l'effet qu'ils produisent sur les autres. Il est temps de proposer une explication vraisemblable.

– Lorsque Jean a déménagé, elle n'a pas voulu arracher sa chienne à son environnement familier et a préféré me la laisser. Sadie venait se coucher à côté de moi sur le canapé, dormait au pied de mon lit, et je me suis mis à lui parler. C'est normal, tout le monde fait ça, non ? Parler à ses animaux familiers quand on est seul ?

– Ça ne doit pas être rare.

– Vous voulez dire que ça doit être courant ?

– Si vous préférez.

– Donc, je me confiais à Sadie, tout ce qui me passait par la tête. Elle ne m'a jamais répondu, au cas où vous vous poseriez la question. Mais elle savait écouter, et ça m'a bien aidé. Enfin, je crois.

– En quoi ce chien…

– Sadie.

– En quoi Sadie vous a-t-elle aidé ?

Pour commencer, il n'a fait de mal à personne. Il a tout d'un être humain capable de fonctionner en société. L'apparence n'est-elle pas la monnaie du XXIe siècle ?

– C'est toujours bon d'avoir quelqu'un à qui se confier, vous ne trouvez pas ?

Bien sûr, c'est même son métier d'être cette personne.

– Votre femme…

– Jean.

– La semaine dernière, vous avez laissé entendre que Jean était morte récemment.

– Il y a trois semaines. Overdose de calmants.

Quoique, vu sous un autre angle, elle a pris exactement le bon nombre de pilules. Jean devait certainement avoir étudié avec soin la quantité nécessaire pour ne pas se rater.

– Était-ce volontaire ou accidentel ?

– Jean a toujours été extrêmement volontaire.

– Savez-vous pourquoi votre épouse s'est suicidée ?

Il acquiesce. Il était son mari, comment aurait-il pu l'ignorer ?

– Voulez-vous parler de ces raisons ?

– Elle se détestait.

– Pourquoi ?

– Elle aurait voulu être quelqu'un d'autre. Quelqu'un de différent.

– Quel genre de personne ?

– Quelqu'un qui puisse oublier. C'était son fardeau. Elle n'oubliait jamais rien, et ses souvenirs étaient extrêmement précis. Il y a des gens comme ça. Le secret du bonheur est d'avoir une mémoire limitée, vous ne trouvez pas ?

Elle considère cette question comme si elle était purement rhétorique, alors qu'elle ne l'est pas. Tant de sujets de conversation intéressants se perdent ainsi.

– De quoi se souvenait Jean ? demande-t-elle, de retour dans son rôle.

Paul fixe la tache brune, à un centimètre de son œil droit. Il se demande à quoi ressemblerait un échantillon de cette peau sous un microscope. Elle passe sa main sur cette zone. Le pouvoir de la suggestion.

– Elle se rappelait ce qu'on lui avait fait.

– Que lui avait-on fait ?

Il indique la tache d'un mouvement du menton.

– Vous devriez la faire examiner.

– Pardon ?

– Cette marque sur votre visage. Si j'étais vous, je ne prendrais pas de risques. J'irais consulter un spécialiste.

– C'est juste une marque de naissance, monsieur Chambers. Maintenant, si nous pouvons revenir à…

– Elle s'est fait violer.

Elle penche la tête vers lui, intéressée, les yeux écarquillés.

– Je vois, répond-elle, bien qu'elle en soit incapable, du moins pour l'instant ; c'est juste une clause de style. Quand est-ce arrivé ?

– Il y a vingt-cinq ans.

– Vingt-cinq ans, répète-t-elle.

– C'est trop long ?

– Ce n'est pas à moi d'en juger. Suite à un traumatisme, certaines personnes se remettent vite et d'autres refoulent ces souvenirs dans leur subconscient des années durant. La douleur se transforme parfois en une souffrance lancinante qui les hante jusqu'à la fin de leur vie. Ils peuvent finir par s'en accommoder. C'est la seule personnalité qu'ils connaissent, celle qui souffre, surtout si l'incident est arrivé tôt, avant qu'ils aient fini de construire leur identité.

Paul se surprend à acquiescer. Il est entièrement d'accord. Si juste, si sensible.

– Quel genre de douleur avez-vous connu ?

Elle lève la tête de ses papiers.

– Nous sommes là pour parler de vous et de votre femme, monsieur Chambers.

– Vous n'avez jamais souffert ?

– Tout le monde souffre à un moment ou à un autre. Comme votre épouse ne pouvait échapper à sa peine, peut-être s'est-elle dit que la mort serait une délivrance ?

– Vous voulez dire qu'elle est mieux là où elle est ? demande-t-il, afin que les choses soient claires.

– Certaines personnes trouvent un réconfort à l'idée de partir là où elles cesseront enfin de souffrir.

– Au ciel.

– C'est une possibilité.

– Je me suis toujours demandé ce qu'on peut bien y faire de son éternité. Dans la Bible, l'enfer est décrit de façon saisissante : des chaînes, un lac de flammes, des pleurs et des gémissements. Mais personne n'a jamais dit à quoi ressemblerait une journée au paradis, et encore moins l'éternité. Tertullien a essayé, mais je ne trouve pas sa réponse très satisfaisante.

– Tertullien ?

– Un philosophe du début de l'ère chrétienne. Pour lui, un des plus grands plaisirs du paradis serait de regarder ceux qui souffrent en enfer. Personnellement, si c'est tout ce qu'il a à me proposer, je choisis l'enfer. Au moins, là-bas, on vit quelque chose, on ne se contente pas de jouer les voyeurs !

Cette conversation semble la dépasser, et elle ne sait comment en reprendre le fil. Peut-être se laisse-t-il emporter, comme il a tendance à le faire.

– A-t-elle eu des funérailles ? demande-t-elle.

– Oui.

– Y êtes-vous allé ?

– Oui. Mais c'était assez frustrant. Les religieux n'en savent pas plus sur la mort que nous autres. Je suis sorti avant la fin du service. Était-ce un manque de respect ?

– Je suis sûr que le prêtre a compris.

– Je parlais de Jean.

Elle se frotte les yeux et prend le temps de la réflexion.

– Je dirais que le plus important, c'est de savoir si vous avez eu l'impression de lui avoir manqué de respect.

– Personne n'a fait son lit.

– Pardon ?

– Lorsque je suis sorti de l'église, je suis allé à son appartement pour prendre ses affaires. Ceux qui ont emporté Jean, les employés des pompes funèbres, n'ont pas fait le ménage.

Dans son esprit, il revoit le lit, la couverture de coton blanc en tas à son pied, le drap pendant sur le côté, l'oreiller par terre. La dépression au milieu du matelas, l'empreinte d'un dormeur solitaire. Il se souvient avoir passé ses mains sur les draps comme pour souligner ses contours – la courbe de ses jambes, la masse de ses hanches, son échine osseuse. Son épouse réduite à une impression sur ce lit, le souvenir d'un matelas.

– Ce détail vous a gêné ? demande Amy.

Il acquiesce. Oui, ce lit défait l'a gêné.

Elle se radosse à son fauteuil, lui signifiant ainsi qu'il est temps de changer de sujet.

– Peut-être pouvez-vous me parler du viol que votre épouse…

– Jean.

– … qu'a subi Jean, votre épouse.

Il secoue la tête.

– Un autre jour.

20

Lorsque Simon décrocha le téléphone et entendit « Je suis Dora Reed, la mère de Kenny », deux possibilités lui vinrent aussitôt à l'esprit : soit elle voulait inviter Davey à une fête quelconque, pour un anniversaire par exemple ; soit il était mal barré. Et vu ce qui s'était passé ces derniers temps, la seconde hypothèse était la plus vraisemblable. Aussi, lorsque le gamin courut le long du vestibule, Simon l'attrapa-t-il par le col de sa chemise en lui faisant signe de rester à sa portée.

– Pardon, pouvez-vous répéter, madame Reed ? (Davey tenta de gagner les escaliers.) Oui, je sais qu'il a apporté un couteau chez vous… Non, pas avant, non, je ne l'ai su que lorsqu'il est rentré. Il a dit avoir oublié qu'il l'avait dans sa poche. (Davey posa un pied sur la première marche.) Bien entendu qu'on ne le laisse pas jouer avec des objets tranchants, mais en vérité ce n'est qu'un coupe-papier à la lame émoussée. Ce n'est pas un couteau de cuisine.

Davey agita la main pour attirer l'attention de son père.

– Dis-lui qu'il ne trancherait pas…

– Ils faisaient quoi ?

Simon regarda son fils, son air dépenaillé, ses joues égratignées, ses cheveux en bataille, encore une déchirure sur le col de son T-shirt.

– Non, affirma le garçon.

Simon couvrit l'écouteur de sa main.

– Non, quoi ?

– Ce qu'elle t'a dit.

– Je n'en sais rien, déclara Simon à la mère de Kenny. Je croyais que le couteau avait glissé de sa poche et qu'il l'avait rangé aussitôt… Oui, en effet, c'est une autre paire de manches.

Lorsque Simon raccrocha, Davey n'était plus là.

*

* *

– J'ai un nouveau patient, c'est vraiment un cas, lança Amy par-dessus son épaule alors qu'elle ouvrait le placard au-dessus du four.

Des petites bouteilles et des boîtes de conserve étaient étalées sur le plan de travail jonché de cure-dents, d'emballages de muffins, de bougies d'anniversaire, de boîtes d'allumettes et d'autres objets usuels auxquels il pensait rarement.

Simon se pencha sur l'évier. Il mangeait du raisin violet, un grain après l'autre. Il n'aurait aucun mal à dévorer toute la grappe. Avec certains aliments, il n'y a pas de limites à ce qu'on peut engouffrer. Uniquement celles qu'on s'impose.

– Tu cherches quelque chose ?

– Je rationalise notre armoire à épices.

– Tu la rationalises ?

– D'après un de mes clients, c'est ce que les Anglais appellent gérer l'espace. On part du postulat qu'un placard ou un cabinet dispose d'un sens inhérent qui doit être réaffirmé de temps en temps. Ça me plaît bien.

Simon ramassa un petit bocal de cumin, l'ouvrit et inspira. Son arôme le surprit, vaguement citronné, ou peut-être du safran, avec un soupçon de curry. Il se dit soudain qu'il y avait tant d'odeurs au monde et qu'il en avait goûté si peu. Il tint la grappe devant la bouche d'Amy, qui aspira un grain.

– J'ai encore privé Davey de sortie, dit-il.

Elle acquiesça.

– Je présume que tu avais une bonne raison.

Il était tout disposé à lui raconter le coup de fil de Mme Reed, comment Davey lui avait menti, et qu'en plus de la sécurité de son fils il s'inquiétait de son honnêteté. Mais pour une fois, Amy lui faisait confiance.

– Alors, qu'a-t-elle donc de si exceptionnel ?

– Qui ça ?

– Ta nouvelle patiente.

Amy vida un flacon d'épices dans l'évier et tourna le robinet.

– En fait, si tu m'avais écoutée attentivement, tu aurais entendu que je parlais d'*un* patient. Mon premier homme en deux ans. Deux séances par semaine. Lorsque j'essaie de définir son passif, il part dans des digressions bizarres. Et je le laisse parler, parce que c'est la seule façon d'apprendre quelque chose. Aujourd'hui, je lui ai demandé ce qu'il faisait dans la vie. Il m'a répondu qu'il faisait à peu près tout ce qu'il voulait, mais qu'il avait été chambellan.

– Qu'est-ce que c'est ?

– Un domestique qui s'occupe des chambres de son maître, paie ses factures, embauche ses serviteurs. Apparemment, en Angleterre, c'était un emploi assez courant il y a quelques siècles. En 1822, pour être exact. L'année où, d'après lui, il était chambellan.

– Et comment le sait-il ?

– Il a consulté un genre de mystique qui lui a révélé ses vies antérieures.

– Donc, il a des illusions de grandeur ?

Amy prit une poignée de bougies et les fourra au fond du placard.

– Je ne sais pas. Il tente de se remettre d'un deuil, mais il y a plus que ça… Il traîne des valises qui remontent à des années. Je ne sais pas s'il est vraiment prêt à prendre les choses en main. Je crois qu'il se moque de moi.

– Pour quatre-vingts dollars de l'heure, il peut bien faire ce qu'il veut de son temps, non ?

– Mon boulot, c'est de faire en sorte qu'il trouve un début de solution à ses problèmes.

Amy entreprit de ranger les épices par ordre alphabétique. Voilà qu'elle devenait organisée tout d'un coup ? C'était nouveau. Et bizarre. Ça ne durerait probablement pas.

– Il n'est pas rare qu'on s'enferme dans une coquille pour éviter d'affronter ses problèmes, répondit-elle, mais ce type est particulièrement doué pour. Je pense qu'il dissimule une immense peine intérieure sous un vernis de rationalité.

– Que vas-tu faire, attendre qu'il se décide ?

– Je vais sans doute jouer l'inattention, tripoter mes stylos, regarder par-dessus son épaule, faire comme s'il m'ennuyait. Il aime être l'étranger mystérieux et fascinant qui tient sa psy en échec. Si je fais celle qui s'en moque, il cherchera de nouveaux moyens d'éveiller mon intérêt.

– On dirait que tu as toutes les cartes en main.

– Ce n'est pas un jeu, c'est une tactique. Dans certains cas, si ton patient refuse de s'ouvrir, il faut employer les forceps.

*

* *

Plus tard, il trouva une autre carte postale dans la boîte aux lettres. Celle-là représentait la chambre du commerce du port de Portland. Son correspondant anonyme n'en avait pas fini avec lui. Simon se crispa en se demandant ce qu'il pouvait bien y avoir d'écrit de l'autre côté – une nouvelle invitation ? Une menace ? Un instant, il eut envie de déchirer la carte et d'en jeter les morceaux dans le caniveau. Rien ne l'obligeait à y prêter la moindre attention, sinon sa propre curiosité. Il maîtrisait la situation.

– Bonjour, étranger !

Simon leva les yeux pour voir son voisin boitiller dans sa direction sur le trottoir, de grandes cisailles de jardinier en main.

– Salut, Bob, ça fait un bail ! répondit Simon en glissant la carte postale au milieu du reste du courrier. On prend de l'avance pour l'élagage ?

– J'essaie surtout d'être à jour. À mon âge, c'est tout ce que je peux espérer.

Simon fit un pas en arrière, vers sa maison. Le voisin fit un pas en avant.

– J'imagine que vous avez retrouvé votre gamin ?

– En fait, il n'a jamais quitté notre cour. Il était dans la cabane dans l'arbre.

– Je m'en suis douté, sinon on en aurait entendu parler dans ton journal, là.

– Pardon, j'aurais dû appeler pour vous rassurer.

Bob fit un signe négligent de la main.

– C'est Helen qui n'arrête pas d'avoir ce genre d'idées. Elle croit tout le temps entendre des voix à l'extérieur. Je lui dis, arrête de te faire du mouron, on est à Red Paint… mais ça ne sert à rien. Les femmes ne sont jamais contentes si elles n'ont pas une raison de s'inquiéter.

Bob le regarda, quêtant son approbation. Simon fit un autre pas en arrière.

– Peut-être qu'elles se font trop de souci là où on ne s'en fait pas assez.

Son voisin ouvrit et ferma ses cisailles, une fois, deux fois, comme pour les aiguiser.

– De toute façon, ça n'a aucune importance. Les hommes sont sur la pente fatale.

Il passa son doigt sur les lames.

– Vraiment ?

– Tu n'as pas entendu parler de la raréfaction du chromosome Y ? Encore quelques milliers d'années et on est cuits. Il n'y aura plus que des femmes.

Un monde exclusivement féminin dû à la disparition du chromosome Y. Un monde paisible, bien sûr, où la violence serait prohibée.

– J'imagine qu'il nous reste encore quelques bonnes années, non ?

Simon consulta sa montre.

– Je ne veux pas te retarder, dit Bob. Salue ton adorable épouse de ma part.

– Je n'y manquerai pas. Donne également le bonjour à Helen de la mienne.

En se dirigeant vers la porte de chez lui, Simon tira la carte postale et la retourna. Un seul mot lui sauta au visage. Il le fixa un moment, comme si d'autres devaient apparaître. De l'encre sympathique activée par la lumière ? Non, il n'y avait que cette épithète qu'il avait déjà vue quelque part.

21

Il ne peut s'empêcher de fixer les bras nus posés sur le bureau, la courbe élégante du biceps et la seule artère bleue visible le long du coude sinuant jusqu'au poignet d'une délicatesse surprenante – comme s'il avait une vie propre indépendante du reste du corps. Comme il aimerait passer ses doigts sur sa peau, d'avant en arrière. Quel mal à ça ?

– Comment allez-vous, monsieur Chambers ?

L'ouverture classique du thérapeute, un gambit – général, imprécis, inoffensif, une question donnant à penser qu'il n'est là que pour une petite discussion amicale, et non pour fouiller les tréfonds de votre âme.

– Comme toujours, je présume.

– Bien, répond-elle.

Et si « Comme toujours » signifiait un état de souffrance et de tourments ? Voilà une possibilité qu'elle devrait explorer.

– Avant tout, j'aimerais disposer de quelques informations générales. Quel âge avez-vous ?

– Quelle importance ?

– Cela fait partie de votre portrait.

– Quarante-deux ans.

Elle note ce chiffre.

– Êtes-vous de cette région ?

– Je ne suis de nulle part en particulier. J'ai toujours été en mouvement.

– Et où habitez-vous maintenant ?

– Là où je suis. J'ai découvert que c'est encore ce qu'il y a de mieux.

– Ce n'est pas une question philosophique. Je voudrais juste avoir votre adresse permanente pour mes archives.

Nom, âge, adresse – croit-elle vraiment pouvoir se faire une idée de ce qu'il est de cette manière ?

– Je suis où je suis, répond-il.

Il se penche pour voir son bloc-notes, le stylo planant au-dessus d'une case vide, attendant qu'il se montre raisonnable et daigne répondre à sa question.

– Le fait que je n'aie pas d'adresse permanente est-il problématique ? Parce que sinon, vous pouvez mettre « Vérité ou Conséquences ».

– Vérité ou conséquences… une réponse bien provocante.

– Nouveau-Mexique.

– Pardon ?

– Vérité ou Conséquences est une ville du Nouveau-Mexique. Je croyais que tout le monde en avait entendu parler.

Il la regarde écrire ce nom puis, lorsqu'elle a fini, ajoute :

– J'ai toujours voulu y habiter.

Elle lève brusquement la tête.

– Ce n'est pas le cas ?

Il secoue la tête.

– Mais je me suis toujours dit qu'habiter à Vérité ou Conséquences aurait une certaine influence sur ma vie.

Elle raye le nom, deux lignes parallèles. Si elle est du genre obsessionnel, cette rature la hantera, une tache sur une page blanche. Peut-être que, dans la soirée, elle ressortira sa fiche, écrira « inconnue » ou « le patient refuse de le dire » à l'emplacement de son adresse.

– Vous ne me donnez pas beaucoup d'informations, monsieur Chambers. Afin de vous aider, je dois mieux vous connaître.

– Qui peut prétendre connaître qui que ce soit ?

Il n'arrive pas à croire à quel point cette phrase fait ringard, comme le refrain d'une chanson à deux balles se voulant profonde.

– À un certain degré, oui, on peut apprendre à connaître quelqu'un. En fait, on peut dire que c'est le point de départ de la thérapie.

– Des fondations bien fragiles pour toute une profession, vous ne pensez pas ? Les philosophes passent leur carrière à ratisser de telles affirmations, en vain. Mais je vous révèle tout ce que vous devez savoir sur moi. Il vous suffit d'écouter.

Elle tapote de sa main libre sur le bureau en le dévisageant. Il lui rend son regard, la bouche close, retenant le sourire involontaire qu'il sent poindre.

– Pourquoi m'avez-vous choisie ?

– Vous êtes sur les pages jaunes. Cette pub est peut-être une erreur. N'importe qui peut vous appeler. Même les patients problématiques.

– Vous considérez-vous comme un patient problématique ?

– Je suis un patient qui a des problèmes. Est-ce que ça fait de moi un patient problématique ?

– Pas forcément.

Paul se redresse.

– Croyez-vous aux conséquences ?

Le genre de questions ouvertes qu'il préfère, de celles qui mènent Dieu sait où…

– Ce que je crois ou pas a-t-il une importance pour vous ?

– Sinon, je ne vous aurais pas posé la question.

– Je crois que nous avons encore bien du travail à faire, et en ce moment ça signifie…

– C'est une loi de physique basique. Chaque action entraîne une réaction, une conséquence. Vous pouvez vous imaginer pouvoir agir pour vous y soustraire, mais elle arrivera forcément. Sinon, l'ordre de l'univers tout entier serait perturbé.

– De quoi parlons-nous exactement, monsieur Chambers ?

– C'est drôle, mais je ne saurais le dire avec certitude.

Il repousse légèrement sa chaise afin de pouvoir croiser les jambes, la cheville gauche sur le genou droit, une main par-dessus, une posture typiquement masculine.

– On l'a violée.

– Pardon ?

– La dernière fois, vous m'avez demandé de décrire l'agression de Jean. On l'a violée.

– Je vois.

Encore ce terme. Est-ce qu'elle *voit* Jean gisant sur son lit, blottie contre lui, mais avec un genou en avant, comme une sentinelle ? La façon dont elle surveillait ses moindres mouvements, l'approche de ses mains, même son odeur lorsqu'il arrivait derrière elle ? Est-ce que, pour elle, il sentait le violeur, ou juste l'homme ?

– Je m'étonne de vous voir balancer des informations qui, de toute évidence, ont une grande importance pour vous. Comme si vous vouliez me choquer. Mon interprétation est-elle correcte ?

– Durant votre carrière, vous avez dû voir des centaines de victimes de viol. Je présume qu'il en faut beaucoup pour vous choquer.

– J'ai vu des *dizaines* de femmes violées.

– Je parie qu'elles sont toutes différentes. Et semblables à la fois.

Il est assez content de cette observation.

– Vous m'avez déjà dit que votre épouse a quitté votre appartement.

– Bien des fois.

– Bien des fois ?

– Elle ne cessait de déménager, puis de revenir, encore et encore.

Amy, la travailleuse sociale agréée, étudie cette information. Chaque muscle de son visage se crispe légèrement en signe de réflexion.

– Cela semble indiquer qu'elle éprouvait des sentiments contradictoires à propos de votre mariage.

– Elle n'avait pas de sentiments contradictoires. Elle ne voulait pas vivre avec moi.

– Et pourtant, elle revenait toujours.

Paul sourit d'une façon qui se veut engageante.

– Ce doit être mon charisme. Je la faisais toujours revenir. Jusqu'à la dernière fois, il y a un an, lorsqu'elle a changé d'État.

– A-t-elle coupé tous les ponts avec vous ?
– Non.
– Êtes-vous restés en bons termes ?
– On était mari et femme, pas de vieux amis.
– Je veux dire, êtes-vous restés proches ?

Proches ? Ils faisaient lit à part, parfois chambre à part, puis appartement à part dans des États à part – et vers la fin, à plus de mille kilomètres l'un de l'autre. Comment Jean l'expliquait-elle à ses amis ? N'avait-elle aucun scrupule à l'avouer à tous ceux qu'elle croisait : « Oui, je suis mariée, mais nous ne sommes pas vraiment proches » ? Quelle histoire inventait-elle pour justifier leur séparation ? Qu'il était violent, alcoolique, volage ? Elle donnait forcément une explication. Probablement qu'il était violent.

– Par exemple, est-ce que vous vous parliez au téléphone ?

Doit-il admettre qu'il lui parle toujours plusieurs fois par jour ? Bien sûr, c'est une conversation à sens unique, mais il peut remplir les blancs, interpréter les silences. *Il parle à son chien et à son épouse morte.* Si quelqu'un lit ses carnets plus tard, il trouvera ça particulièrement bizarre. L'inconnu en conclura qu'il souffre d'hallucinations délirantes, ce qui est faux, quelle que soit la définition qu'on donne à ce terme. Bien sûr, on ne peut se fier à un halluciné pour juger de sa propre santé mentale. Tenter de se comprendre soi-même est une illusion, puisqu'on ne peut être impartial.

– On se parlait chaque dimanche soir, répond-il.

Chaque dimanche soir à 21 heures, allongé sur son lit, l'écouteur contre son oreille, il défaisait sa braguette et écoutait sa voix douce, éloignant sa bouche du combiné.

Un jour, celui-ci glissa le long de sa poitrine, et il dut le rattraper de sa main poisseuse. « Ça va ? », demanda-t-elle. Il toussa et répondit : « Oui, ça va. »

– La dernière fois qu'on s'est parlé, c'était il y a vingt-deux jours, la nuit d'avant.

– De quoi avez-vous parlé ?

– Je lui ai dit que j'allais venir la voir.

– Et qu'en a-t-elle dit ?

– Elle a répondu : « Je ne serai pas là. »

– Comment l'avez-vous interprété ?

– Qu'elle ne serait pas là. Et c'était vrai. Elle s'est suicidée le lundi matin.

Lundi *matin* – pourquoi n'y a-t-il encore jamais pensé ?

– C'est bizarre, non ? Se tuer juste après le réveil ?

Elle hésite, voulant donner l'impression d'avoir réponse à tout.

– Je ne connais pas les statistiques relatives à l'heure des suicides, mais se lever pour commettre l'irréparable ne semble pas si inhabituel.

– Jean aimait dormir, précise-t-il en guise de réponse.

Parfois, elle ne prenait même pas la peine de s'habiller et passait directement du lit au canapé, ou à la chaise longue du patio pour retourner sur le canapé et finir à nouveau au lit. De l'art de mener sa vie à l'horizontale. Parfois, pendant qu'elle dormait, il s'allongeait à côté d'elle pour sentir sa chaleur réchauffer son corps glacial.

– Vous avez dit que votre femme a fait une overdose de…

– Barbituriques.

Il l'imagine prenant le flacon et notant le dosage. Qu'avait-elle ressenti en dévissant le bouchon ? Était-elle angoissée ou paisible, déprimée ou euphorique ? On vit dans un monde dialectique où chaque chose est ceci ou cela. Et s'il y avait une sécurité sur le bouchon, si elle avait eu du mal à l'ouvrir ? Ce moment se serait-il dissipé ?

– A-t-elle laissé une lettre ?

– Ça ne lui ressemblait pas. Jean n'était pas du genre à récapituler. Toute sa vie était cette lettre. Elle savait que je comprendrais.

– Et c'est le cas ?

– Si je comprends ? Bien sûr. On l'a violée.

– Comment savez-vous que c'est la raison de son suicide vingt-cinq ans après les faits ?

– J'ai vécu avec elle durant vingt de ces années.

– La plupart des victimes de viol portent la souffrance qui en découle durant toute leur existence, mais elles ne se tuent pas forcément.

– Content pour elles.

– Je ne remettais pas en cause la légitimité des sentiments de votre épouse, monsieur Chambers.

– Son suicide vingt-cinq ans plus tard serait-il plus légitime si je vous disais qu'après ce viol elle est tombée enceinte ?

Elle lève les yeux, son intérêt ravivé.

– Est-ce là ce que vous voulez me dire ?

Il incline très légèrement la tête. Parfois, un acquiescement est bien plus éloquent que des mots.

– A-t-elle gardé l'enfant ?

– Non.

– A-t-elle avorté ?
– Non.
– Alors ?
Comme s'ils avaient fait le tour des possibilités.
– L'accouchement fut pénible. Ils durent lui arracher le bébé. Un garçon. Il était mort-né.
Son visage prit une expression de douleur maternelle, un témoignage de compassion.
– C'est une intéressante juxtaposition de termes, reprend Paul, *mort-né*. Ça n'est pas très logique, non ?
– C'est un sacré poids pour une jeune fille.
– Jean a eu droit à la totale. Elle se reprochait le viol *et* la perte du bébé.
– Vous aussi ?
– Un jour, je lui ai dit : « Ce type a gâché ta vie et tu as gâché la nôtre. » Donc, oui, je lui faisais des reproches.
– La rancune est un sentiment tout naturel, remarque-t-elle automatiquement.
Il se demande combien de fois elle a répété cette observation inutile. Elle se sent même obligée de s'expliquer, comme si elle se montrait particulièrement perspicace :
– Les époux de patients luttant contre le cancer en ont parfois tellement marre de jouer les gardes-malades qu'ils peuvent s'en prendre à leur conjoint, comme s'il était responsable de son mal.
Quel rapport avec le cancer ? On en meurt. Les femmes violées doivent vivre avec.
– C'est réconfortant de savoir que j'ai eu la même réaction que tous ces conjoints rancuniers.

Elle choisit d'ignorer son ton sarcastique.

– Votre femme connaissait-elle son agresseur ?

– Est-ce que ça change quelque chose ?

– Souvent, oui. Un viol commis par un étranger a quelque chose d'aléatoire, si bien que la victime a tendance à se méfier des inconnus. Si elle connaît le coupable, elle peut avoir peur de ses amis ou même des membres de sa famille et du cercle de ses intimes.

Le *cercle de ses intimes* – c'est donc la catégorie dans laquelle il se trouve. Intime sans intimité.

– Elle le connaissait.

– Son agresseur a été arrêté ?

– Le *violeur* n'a jamais été arrêté. Jean n'a jamais porté plainte.

Elle prend un air entendu, écarquillant légèrement les yeux, et hoche la tête.

– Malheureusement, c'est assez courant. Votre femme vous a-t-elle dévoilé son identité ?

– Elle me l'a dit, oui. Apparemment, il mène la grande vie. Une épouse idéale, un bel enfant. Bien sûr, on ne peut en juger de l'extérieur, n'est-ce pas ? En réalité, leur mariage est peut-être froid, sans amour. Peut-être que leur enfant est un sale gosse mal élevé. Je suis sûr qu'il n'a jamais parlé de ce viol à sa femme. Avoir une double vie est intéressant, vous ne trouvez pas ? L'énergie nécessaire pour maintenir l'illusion que vous êtes quelqu'un de bien, alors que vous savez que c'est faux ?

– Savez-vous où habite cet homme ? demande-t-elle.

Elle a tant de questions à lui poser, et seulement une heure pour en faire le tour.

– C'est pour ça que je suis là.

Elle lève les yeux pour le regarder.

– L'homme qui a violé votre femme vit à Red Paint ?

– Est-ce si surprenant qu'un violeur réside dans la ville la plus accueillante du Maine ?

– Ils sont partout, bien sûr. Êtes-vous venu spécialement pour lui ?

– Non, je ne faisais que passer, et je me suis dit, un instant, n'est-ce pas là qu'habite celui qui a violé Jean ? Je devrais peut-être aller le trouver ?

– Vous aimez le sarcasme, monsieur Chambers.

– C'est vrai, je l'avoue. Je sais que ce n'est pas vraiment à la mode de nos jours, *l'humour des faibles* et tout ça, mais ça peut avoir son utilité.

– Surtout quand on cherche à détourner une question.

– C'est vrai, je détourne votre question.

Si on veut désarmer quelqu'un, il suffit de se dire d'accord avec lui. Il passe tout de suite à autre chose.

– D'après vous, que va-t-il se passer lorsque vous l'aurez trouvé ?

– Il y a longtemps que j'ai cessé d'échafauder des hypothèses. C'est une perte de temps, et on n'en a pas tant que ça.

– Donc, vous êtes venu à Red Paint pour trouver celui que vous tenez pour responsable du traumatisme de votre épouse, et vous êtes venu me consulter avant la grande confrontation ?

– C'est une mauvaise idée ? J'aurais dû aller le voir directement ?

– Espériez-vous que je vous arrêterais ?

– En êtes-vous capable ?

– Vous me comprenez très bien. Êtes-vous venu à mon bureau dans l'attente, ou dans l'espoir, si vous préférez, qu'un jour je puisse vous aider à surmonter le viol et le suicide de votre épouse sans passer par une confrontation avec son agresseur ?

– Non, répond Paul en lissant son pantalon.

D'où viennent les peluches ? Est-ce qu'elles flottent dans l'air en attendant de s'accrocher au premier pantalon noir qui passe ?

– Dans ce cas, pourquoi êtes-vous là ?

– Je l'ignore.

Comment pourrait-il savoir ce que Dieu lui réserve ? Nul ne le sait, peut-être même pas Dieu. Si ça se trouve, il improvise, comme chaque être humain sur Terre. Après tout, on est censés être faits à son image.

– Il vaut peut-être mieux que je m'en aille, dit Paul en se levant.

Il pourrait lui donner son argent, en finir une fois pour toutes. Ce serait mieux pour tous les deux.

– Ça dépend de vous, dit-elle, restant assise. Mais que ce soit avec moi ou quelqu'un d'autre, à un moment donné il vous faudra bien affronter les problèmes non résolus qu'ont posés la vie et la mort de votre épouse.

Affronter les problèmes non résolus. C'est comme ça qu'on appelle la vengeance de nos jours ?

– Vous souriez ?

– C'est interdit ?

– J'essaie juste de comprendre votre réaction.

– N'y voyez rien de particulier. Je souris aux moments les plus inopportuns. On me le dit tout le temps.

Elle-même ne semble pas sourire souvent – une femme sérieuse au-delà du raisonnable.

– Que comptez-vous gagner en affrontant l'homme qui a violé votre femme ?

Il se sent mal à l'aise, à la regarder d'en haut ; alors il se rassied.

– Je veux qu'il se confesse.

Elle acquiesce comme si c'était un objectif raisonnable, lui laisse le temps de développer le sujet, ce qu'il est toujours disposé à faire, quel que soit ledit sujet.

– Savez-vous que Martin Luther était obsédé par la confession ? Il y passait des heures et des heures, se levait pour partir, puis se rasseyait pour se confesser encore pendant des heures. Il pensait que Satan s'était introduit dans ses pensées ordinaires.

– Pensez-vous que Satan s'est introduit dans vos pensées ordinaires ?

– Satan, Dieu… difficile de dire qui vous parle.

– Vous voulez dire que vous entendez des voix ?

– J'entends ma propre voix. Bien sûr, ce peut être une illusion. Dieu en est capable. Satan aussi.

– Et que vous dit votre voix intérieure ?

– Qu'une confession n'est pas vraiment une punition. En fait, elle peut être bonne pour l'âme, elle absout celui qui vide son sac. Je pense que le violeur doit éprouver lui-même ce qu'est un viol.

Elle acquiesce à nouveau, peut-être juste par habitude. Elle ne peut certainement pas adhérer à l'interprétation de sa déclaration. Quel psy ferait ça ?

– Vous voulez que soit reconnu ce qu'a vécu votre épouse, la façon dont cet événement a affecté sa vie et la vôtre, et vous pensez y arriver en obligeant le coupable à se faire une idée de ce qu'elle a ressenti.

Il la dévisage. Que de mots. Trop de mots.

22

La citation de la semaine disait : « On ne peut empêcher une cloche de sonner, sauf en la brisant en mille morceaux. » Simon relut cette phrase en cherchant à comprendre si cette image assez violente était une autre expression de la colère postdivorce de Barb, son assistante, ou la preuve qu'elle reprenait le contrôle de sa vie, même si elle avait une curieuse façon de l'exprimer. Le soleil de cet après-midi inondait les vitres de son bureau alors qu'il était assis à sa table, examinant la dernière édition. Cette citation était un bon signe, décida-t-il, et il tourna la page. « Nos agents endorment un ours noir sur un porche », disait la une du rapport de police, en page deux. S'il y en avait un de disponible, Carole favorisait toujours les récits animaliers, et elle était rarement à court. Il feuilleta la moitié des pages des actualités religieuses, des nouvelles civiques et de la vie des écoles jusqu'à ce qu'il atteigne la rubrique nécrologique. Cette semaine, il n'y avait qu'une nécro, mais à sa lecture il ne put s'empêcher de lancer :

– Merde, c'est quoi, ça ?

Jeanette Crane Walker, 41

Jeanette Crane Walker, une native de Red Paint, est morte de causes non naturelles le 14 juin. On se souvient de Jean pour l'agression brutale qu'elle subit vingt-cinq ans plus tôt dans sa ville natale. Peu après, sa famille quitta Bowling Green Road. Son époux la pleurera jusqu'à la fin de ses jours.

Jean Walker. Incroyable. Il connaissait cette fille, c'était sa cavalière au bal de promo, et voilà qu'il apprenait sa mort dans son propre journal. Il se souvint de la dernière fois qu'il l'avait vue, courant sur la pente menant à Bayswater Inn, tenant les pans de sa longue robe pour ne pas tomber. Il avait voulu la rattraper, mais s'était retenu : quelqu'un pouvait les regarder, et il ne voulait pas avoir l'air de la pourchasser. Mais lorsqu'il était arrivé à l'auberge, elle n'était plus là.

Margaret s'empressa depuis son bureau.

– Une erreur de typo, patron ?

– D'où vient cette rubrique nécrologique ?

Elle la lut par-dessus son épaule.

– Je crois que c'est la copie en retard qui est arrivée mardi après-midi. On a déplacé une pub pour la passer.

– Qui l'a rédigée ?

– Barbara s'occupe de tout ce qui est de dernière minute.

Simon scruta la salle de rédaction. Elle était vide. Il n'y avait qu'eux.

– Où est-elle ?

– Aux toilettes, j'imagine. (Margaret s'appuya sur son bureau.) Vous connaissiez cette Jeanette Crane Walker ?

Cette Jeanette Crane Walker, comme si elle n'était qu'un nom dans le journal et non un être humain.

– Oui. Il y a vingt-cinq ans, à Red Paint, tout le monde connaissait tout le monde.

– Cette histoire d'agression a dû faire la une.

– Non, Margaret. Il n'y eut pas de une parce qu'il n'y eut pas d'agression.

Barbara passa la porte en buvant une canette de Diet Coke avec une paille. Simon lui fit signe de les rejoindre.

– Où as-tu trouvé l'info pour rédiger cette rubrique nécrologique ?

Elle jeta la canette dans la poubelle métallique à côté du bureau. Le claquement sonore qu'elle émit les fit tous sursauter.

– Pardon. Que vouliez-vous savoir ?

– Où as-tu trouvé cette nécro ?

– Mardi après-midi, quand vous étiez tous en vadrouille, un homme est venu la déposer. Il l'avait déjà rédigée et voulait qu'elle soit publiée telle quelle. Je l'ai fait passer en urgence, vu qu'on n'avait pas d'autre nécro pour la semaine.

– Tu n'as pas vérifié ses sources ?

Elle regarda Margaret, comme pour lui demander de la soutenir.

– Je ne savais pas qu'on vérifiait les sources des rubriques nécrologiques.

– Quand ce sont les pompes funèbres qui les envoient… On nous a servi celle-là sur un plateau.

N'importe qui peut venir en déposer, même si la personne en question est bien vivante.

Cela parut choquer Barbara.

– Vous voulez dire que cette femme n'est pas morte ?

– Ce n'est pas ce qui compte. « L'agression brutale qu'elle subit », n'est-ce pas le genre d'affirmation qui mérite vérification ?

– Oui… je veux dire, non, sur le moment je n'y ai pas pensé, mais c'est vrai, j'aurais dû. Je peux appeler la police pour voir s'ils ont ça dans leurs archives ?

– Non, répondit Simon, c'était il y a vingt-cinq ans. Il n'y a plus rien. D'ailleurs, c'est trop tard. La nécro a été publiée.

23

Il tourne à fond le bouton « Chaud » de la douche et frotte le pain de savon contre son corps en de longs gestes, laissant sa douce odeur pénétrer sa peau. Il se tient sous le jet bouillant aussi longtemps qu'il peut le supporter avant de le couper. Il s'essuie, suspend la serviette mouillée autour du porte-rideau, un quart à l'intérieur, juste assez pour la faire tenir, le reste à l'extérieur pour qu'elle puisse sécher. Le miroir de la porte lui renvoie son image, de la tête aux pieds. Cela fait bien longtemps qu'il ne s'est pas vu comme ça. Au fil des années, son corps mince s'est étoffé, arrondissant ses épaules, épaississant ses cuisses. Il passe une main le long de sa poitrine, suivant la ligne de poils noirs jusqu'à son estomac rond. Il a encore quelques minutes à tuer.

*
* *

La vingt-cinquième réunion des anciens de Red Paint High est assez simple, sans chichis. Les femmes portent des pantalons noirs censés les amincir et des hauts colorés. Les hommes, des pantalons Dockers et des chemises de chez L.L. Bean, la tenue qu'ils portent depuis des dizaines d'années. Paul descend le grand escalier de l'auberge en pantalon gris et veste noire agrémentée d'une cravate marron très simple, ornée d'une épingle dorée. Il a l'air prospère et bien nourri, un homme qui est parti de Red Paint et a fait carrière. Là, devant la porte du grand salon, se tient Gus, l'ours noir d'un mètre quatre-vingt-dix, en salopette, les menus glissés dans une poche sur son ventre. Paul lui gratte le menton, comme le font tous ceux de la ville en guise de porte-bonheur, et passe les doubles portes.

– Excusez-moi, vous êtes-vous inscrit ?

Il se retourne et découvre une femme vêtue d'un haut noir et d'un blouson rouge, les couleurs de l'école. Son badge annonce : Marge Francœur, secrétaire de classe. Il se la rappelle vaguement, une fille maigrichonne qui ne cessait de cavaler dans les couloirs en serrant ses livres contre sa poitrine.

– Si oui, veuillez remplir un badge à votre nom. Tout le monde doit en porter un.

Il imagine un monde où chacun arborerait son nom sur sa poitrine. Comme il serait difficile de passer inaperçu ! De nos jours, il y a des yeux partout : à chaque coin de rue, chaque couloir, dans les magasins, dans les parkings. On est constamment surveillé et filmé ; chaque détail de notre existence finit archivé dans une immense base de données consultable à volonté. Il faut faire preuve de ruse pour ne pas être identifié. Paul prend une étiquette et un gros feutre puis rédige une inscription en grandes lettres droites avant d'arracher le dos et de coller le tout sur son revers.

Marge se penche par-dessus la table pour mieux voir.

– « Devinez qui ? » Elle est bonne. (Elle scrute son visage.) Bill Edison, c'est ça ?

Paul hausse les épaules – le proverbial invité mystérieux – et s'engage dans une mer de ballons noirs et rouges, de cotillons noirs et rouges, de nappes et de serviettes noires et rouges. Il se verse un verre d'eau à la table pliante portant l'écriteau Boissons non alcoolisées et se mêle à la foule, se préparant à saluer ceux qu'il croise. Personne ne le reconnaîtra, il en est sûr. Il peut être qui il veut – un joyeux drille, un universitaire studieux, un claqueur de dos ou, ce qu'il préfère, un observateur distant qui observe la scène sans s'y impliquer. Présent à cette réunion sans y prendre part.

Simon Howe se tient près de la petite scène, pérorant pour qui veut l'entendre, une épaisse frange de cheveux châtains ondulant sur son front. L'air si content de lui. Une femme blonde est là, tout près, acquiesçant vigoureusement à tout ce qu'il dit. Ce n'est pas Amy. Paul parcourt la salle du regard, à sa recherche. Les gens sont réunis par groupes de trois ou quatre. Il croyait devoir l'éviter, et voilà qu'il constate son absence. Est-il possible qu'elle soit restée à la maison pour veiller sur son fils, redoutant de le laisser seul ? Simon promène son regard sur l'assistance. Il s'arrête brièvement sur Paul, à quelques mètres de lui, puis s'éloigne. Simon ne l'a pas reconnu, comme Paul l'espérait. Il traverse la pièce, entendant des bribes de rires et de conversations. Tout le monde s'évertue à se moquer des ados gauches et maladroits qu'ils furent, oubliant à quel point cette période fut pénible. Il voit un homme seul tenant un verre en plastique rempli d'un liquide ambré, et leurs regards se croisent. Le solitaire lève son verre comme pour trinquer. Paul fait de même, mais ni l'un ni l'autre ne font mine de se rapprocher.

Il se retourne et, soudain, se retrouve au milieu d'un groupe, trois femmes et un homme.

– Venez, dit ce dernier, je suis en infériorité numérique.

Paul acquiesce. Son badge les amuse un moment, mais personne ne cherche à savoir qui il est. Sans doute l'époux d'une ancienne, dont la présence n'est qu'anecdotique. Ils déclinent tour à tour leurs professions comme si elles étaient toute leur identité – un maçon, une réceptionniste, une infirmière des urgences et, enfin, une mère de quatre enfants.

– Que des garçons, ajoute-t-elle avec un ton sardonique sous-entendant « Vous savez ce que ça signifie ».

Il l'ignore et s'éloigne du groupe. Il trouve une place libre près de la table de souvenirs, chargée de livres de fin d'année et de coupures de journaux. Un homme portant une écharpe noire et rouge sur les épaules passe devant Paul pour aller tapoter le micro.

– C'est bon ? Vous m'entendez ? (Tout le monde acquiesce et agite la main.) Puis-je avoir votre attention, les amis ? Je suis Stephen Greer. Au cas où votre mémoire serait défaillante, je me suis présenté comme chef de classe la dernière année, sans savoir que c'était un poste à vie. Et maintenant, me voilà modérateur désigné de notre réunion des anciens de Red Paint High. (Greer s'éclaircit la voix, afin de se préparer à faire son discours.) Il y a vingt-cinq ans, nous vivions la meilleure ou la pire période de notre vie. Nous avions enfin mérité nos diplômes et étions tous prêts à prendre notre place en ce monde, mais en même temps nous devions affronter une terrible tragédie : quelque chose d'impensable était arrivé à l'un d'entre nous. Je vous en prie, observons une minute de silence à la mémoire de Stanley Dumas, notre ami, celui qui était toujours joyeux, et qui a quitté ce monde comme il a vécu, à toute vitesse.

Tout le monde se tait, bien que des cuisines, derrière l'estrade, leur parviennent le tintement étouffé des assiettes et un rire rauque évoquant un grognement.

– Bien, reprend Greer, regardant par-dessus son épaule avec irritation. Le bal sera bientôt ouvert, mais avant ça, remontons le temps l'espace d'un instant. Si vous n'avez pas encore soumis une question, il y a des cartes sur la table d'inscription. Rédigez-y votre meilleur souvenir du bon vieux temps sous la forme d'une question. On verra qui a la meilleure mémoire.

Bien sûr, Jean l'emporterait haut la main. Mais elle n'est pas là pour jouer à ce jeu. Paul se fraye un chemin jusqu'à la table aux cartes et en prend quelques-unes.

*

* *

Une demi-heure plus tard, lorsque le président reprend le micro, Paul se tient à quelques mètres de Simon. Lorsqu'il se déplace pour prendre un verre ou saluer un vieux copain, Paul fait de même, comme une ombre.

– Bien, les amis, ayez la bonté de m'écouter, reprend Greer. Je vais lire quelques questions ; si vous connaissez la réponse, levez la main. Je commence par une de mon cru : « Qu'est-ce que Jimmy Doyle a demandé à M. Cox en cours de physique le premier jour ? ».

– Pourquoi le poulet a-t-il traversé la bande de Moebius, lance-t-on – plusieurs voix éparpillées dans la salle.

– Et la réponse ?

– Pour aller du même côté, rétorquent les voix.

– Bravo, c'était tout Jimmy. J'en ai une autre : « Qu'a dit M. Kerwin lorsqu'il a ramassé le paquet qui faisait tic-tac en cours de chimie ? ».

– Bordel de merde !

Tous en chœur pour évoquer un des moments les plus mémorables de leur dernière année.

– Exact. Voyons si on peut trouver plus difficile. (Greer bat les cartes.) « Qu'est-ce que le lauréat du mérite national a fait lors de la soirée de promotion sans devoir en subir les conséquences ? » (Il a l'air intrigué.) On avait un lauréat du mérite national dans notre classe ? Je l'ignorais. Qui était-ce… Sherri, Sherri Tate ?

Il scrute la foule et s'arrête sur une femme aux cheveux noirs noués à la moitié du dos. Elle secoue la tête d'un air désolé, faisant passer sa chevelure d'un côté à l'autre, ce qui doit être son signe distinctif.

– Non ? insiste Greer. Alors, qui ?

– Simon ! lance une voix depuis l'autre bout de la salle, celle de la jolie blonde se tenant à côté de lui.

Greer penche le micro dans cette direction.

– Simon Howe, vous qui êtes rédacteur en chef du meilleur journal de Red Paint, étiez-vous notre lauréat du mérite national ?

Simon hausse la tête pour sortir du groupe de personnes où il se tient et agite la main. Un petit geste sans prétention. Que de modestie.

– En ce cas, je présume que la question porte sur vous. Voulez-vous bien nous avouer ce que vous… (Greer jeta un coup d'œil à la carte) « … avez fait lors de la soirée de promotion sans en subir les conséquences » ? Quelque chose de plus scandaleux que de boire du rhum-Coca dans les buissons ?

Simon hausse les épaules et replonge dans le groupe.

– Bien, reprend Greer, mes espions vont mener l'enquête. La carte suivante est encore une question relative au bal de promo : « Qui est allé sur le quai en douce, et pour y faire quoi ? ». Quelqu'un a une idée ?

Il n'obtient que des froncements de sourcils et des secouements de têtes.

– Une colle. Passons à autre chose : « Pourquoi personne n'a voulu écouter la fille du quai lorsqu'elle a déclaré… » Bon, d'accord, dit-il en glissant les cartes dans sa veste, autant en rester là. Allez, musique !

*
* *

Simon s'en va tout d'un coup, se frayant un chemin au milieu des corps en mouvement pour pousser les lourdes portes. Paul le suit à distance raisonnable dans l'ombre de l'allée menant au parking. Il monte dans la Lumina, attend que l'autre démarre, puis suit les feux arrière jusqu'à la rampe menant à la route. Il prend de la vitesse, se rapproche puis passe en pleins phares. La voiture devant lui ralentit, il fait de même. Lorsque l'autre accélère, lui aussi, enveloppant sa carrosserie de lumière. Un peu plus loin, l'autre s'arrête tout à fait. Après un moment, Simon descend sur la chaussée et agite le poing en une menace dérisoire. Paul remet les feux de croisement un instant, comme pour s'excuser, avant de repasser en pleins phares. Simon marche dans sa direction, mais sans se presser, comme s'il hésitait à affronter ce qui l'attend. Paul fait vrombir son moteur et met pleins gaz. *Tu me regardes, Jean ? Est-ce que je m'en sors bien ?* La voiture se cabre, puis part en trombe sur la route étroite et ténébreuse.

24

C'était une drôle d'impression, de traverser le parking du Bayswater Inn sans Amy ; il se sentait déséquilibré, en manque de contrepoids. Et qu'allaient penser ses anciens camarades de classe ? Pourquoi venait-il à cette réunion sans sa femme, alors qu'ils habitaient à quelques minutes à peine de l'auberge ?

– Simon ? lança une voix derrière lui.

C'était Holly Green, elle aussi seule, qui descendait l'allée de graviers.

– Où est Steve ? lui demanda-t-il lorsqu'elle l'eut rattrapé.

– Chez nous avec Jenny. Et Amy ?

– Chez nous avec Davey.

– Alors, dit-elle en passant son bras sous le sien, on n'a qu'à y aller ensemble, histoire de faire jaser un brin.

Lorsqu'ils atteignirent la porte de l'auberge, elle se tourna vers la baie, à une cinquantaine de mètres de l'allée.

– J'ai vu la rubrique nécrologique, dit-elle.

– Tu ne savais pas, pour Jean ?

– Non, on était cousines, mais éloignées. On ne se retrouvait qu'à Noël. Je sais qu'elle s'est mariée, avec un type de la promo de l'année suivante qui la suivait partout comme un petit chien. Je n'ai jamais compris pourquoi elle a fait ça. Elle le trouvait vaguement angoissant.

Des voix leur parvinrent du parking, et Simon écarta Holly de la porte pour se dissimuler dans l'ombre. Il ne voulait pas que quelqu'un l'entende, même s'il aurait préféré que ça ne soit pas trop évident.

– Le soir du bal de promo, c'est toi qui l'as ramenée ? chuchota-t-il alors que les voix passaient devant eux.

– Elle m'a dit qu'elle ne se sentait pas bien, comme si elle avait des règles douloureuses et se sentait indisposée. C'est pour ça qu'elle ne te l'avait pas demandé.

La lune sortit de derrière les nuages et sa lumière laiteuse illumina le quai. Simon s'étonna de constater à quel point il était visible de si loin.

– La nécro parlait d'une agression qu'elle aurait subie il y a vingt-cinq ans, reprit Holly.

– Je n'en ai jamais entendu parler.

Il laissa passer un moment, attendant que Holly dise quelque chose. En vain. Alors il insista :

– Et toi ?

– Ça a peut-être un rapport avec ce type. Durant sa dernière année, il ne cessait de l'embêter. Mais s'il l'avait agressée, je crois qu'elle me l'aurait dit. Jean était très sensible, comme un nerf à vif.

Simon n'y avait encore jamais pensé en ces termes, mais cette description était particulièrement appropriée. La lune se cacha derrière les nuages, et il prit à nouveau le bras de Holly.

– On y va ?

*

* *

– Remonter le temps, dit Simon à Lauren, son ancienne équipière en labo de chimie. C'est ça ! Si ça continue, on va faire un concours de mangeur de tartes et ramasser des oranges avec les dents !

Elle passa ses ongles sur son bras.

– Ça pourrait être marrant.

Il n'osait pas la regarder droit dans les yeux et devoir affronter cette question omniprésente qu'ils lui posaient : *Pourquoi pas moi, Simon ? Pourquoi pas maintenant ?* La réponse lui semblait évidente – il était marié et avait un fils de onze ans.

– Simon Howe ! lança quelqu'un depuis la salle de bal.

Un homme roux portant une casquette de baseball avec un espadon cousu dessus traversait la foule, agitant une bouteille de bière au bout de ses doigts, comme au bon vieux temps. Simon le reconnut aussitôt : une version plus ample, plus barbue de celui qui avait été son meilleur ami.

– Brewer ! fit Simon. Ça fait combien de temps ?

L'homme ignora la main qu'il lui tendait pour le serrer contre son cœur, ce qu'ils n'auraient jamais fait au temps de leur adolescence. Lorsqu'il s'écarta, il fit un geste en direction de la bannière au-dessus de l'estrade.

– Vingt-cinq ans, vieux frère. Depuis le bal de promo, je n'ai jamais remis un pied en ville. Je me suis dit que je pouvais faire un effort, une fois tous les vingt-cinq ans.

– J'y crois pas, bafouilla Simon.

Comment ce visage qu'il avait vu chaque jour au lycée, l'ami à qui il pouvait tout dire, était-il de nouveau là, devant lui ?

– J'ai perdu ta trace après ce qui t'est arrivé à Portland. Où habites-tu maintenant ?

– Ha Ha Baie.

On aurait dit une de ses vieilles blagues, sauf que Simon ne la comprit pas.

– C'est au Québec. J'étais en taule à Kodiak City, et tout ce qu'il y avait à lire, c'était de vieux *National Geographic*. C'est là que j'ai entendu parler de Ha Ha Baie ! Alors je me suis dit, c'est là que je veux aller. Donc, à ma sortie, j'y suis allé tout droit, puis j'ai acheté deux hectares de terrain pour une bouchée de pain et j'ai bâti un chalet. J'habite un village qui ne compte que trois cents habitants, et je me suis dit, je peux m'entendre avec trois cents personnes.

Bizarre, pensa Simon, *parce que, autrefois, Brewer s'entendait avec tout le monde.* C'était même son principal atout. Monsieur positif.

– Et donc, qu'est-ce que tu fais là-bas ?

– Rien, c'est ce qu'il y a de plus beau ! En dix saisons de pêche en Alaska, je me suis fait tellement de pognon que je n'ai plus besoin de bosser, peut-être pour toujours. J'ai investi tout l'argent que je n'ai pas bu. Le capitalisme est une grande invention, tu ne trouves pas ?

Simon n'était qu'à moitié d'accord. Il en voyait les bons et les mauvais côtés. Comme pour tout. Mais de toute façon, ce n'était pas le genre de réponse qu'on donne lors d'une réunion des anciens du lycée.

– On dirait que tu as pris du bon temps, Brew.

– Oh oui ! mais au bout d'un moment, même ce qu'il y a de plus délirant devient ennuyeux. J'ai donc préféré m'installer. (Il but une gorgée, les doigts serrés sur le haut du goulot.) Et toi, Simon ? J'ai cru comprendre que tu dirigeais cette vieille feuille de chou ?

– Il est le propriétaire et le rédacteur en chef du *Register*, intervint Lauren, ce dont Simon fut surpris, tant par sa réponse que par sa simple présence, et le fait qu'elle suive toujours la conversation.

Brewer la dévisagea un instant comme s'il ne la reconnaissait pas. Peut-être Lauren avait-elle beaucoup changé depuis le lycée. Puis il se tourna vers Simon :

– Je n'aurais jamais cru que tu resterais dans cette putain de ville. Tu as toujours dit qu'à la première occasion tu te casserais d'ici. Je pensais que tu prendrais la tangente en premier.

– Oh, pendant un moment, je suis allé vivre ailleurs, fit Simon pour sa défense. J'ai bossé au *Press Herald*, à Portland.

Brewer vida sa bouteille.

– Et alors ?

– Alors quoi ?

– Pourquoi es-tu revenu ?

Et voilà. La grande question, claire et nette. On pouvait toujours compter sur un vieil ami pour mettre les pieds dans le plat. Pourquoi était-il revenu à Red Paint ? C'était facile : ses parents, tombés malades tous les deux à quelques semaines d'intervalle, avaient besoin de son aide. Mais pourquoi était-il resté *après* leur mort ? Ça, par contre, ce n'était pas si simple. Il aimait l'idée d'être celui qui sauverait le *Register*. Il aimait être le patron de son propre journal. Il aimait l'idée que Davey grandisse au même endroit que lui, dans une petite ville du Maine, loin des tentations de la grande ville. En ce temps-là, « ennuyeux » était une qualité plus qu'un défaut.

– Tu sais comment c'est, répondit Simon. Tu fais des choix et encore des choix, et soudain tu t'aperçois que tu vas passer toute ta vie là où tu n'aurais jamais cru rester.

– Oui, comme moi, je n'aurais jamais pensé finir à Ha Ha Baie !

Brewer fit rouler sa bouteille de bière vide dans sa main.

– Et tu es heureux ici ?

– Oui, s'empressa de répondre Simon, et il se demanda s'il ne l'avait pas dit trop vite, comme s'il ne voulait pas vraiment y réfléchir. J'ai une femme et un fils formidables, c'est un bon coin pour fonder une famille. Et j'aime diriger le journal. Donc, oui, je suis heureux.

– Alors c'est tout ce qui compte, non ? Tant que tu es heureux…

Tant que tu es heureux. Malgré la monotonie apparente de sa vie à Red Paint, s'il s'y était creusé une petite niche de bonheur, ça pouvait aller. Brewer avait la bonté de lui laisser au moins ça.

– Et ça fait combien de temps que vous êtes ensemble, tous les deux ?

Simon mit un moment à interpréter le regard que Brewer leur jeta, à Lauren et lui.

– Oh non, dit-il, c'est Lauren Canelli. Tu ne l'as pas oubliée ?

– Ah oui ! s'écria Brewer qui, pourtant, ne semblait pas la reconnaître pour autant. Comment va ?

Elle regarda en direction de l'homme qui parlait au micro derrière lui.

– Amy, mon épouse, a dû rester chez nous avec notre fils, déclara Simon. Il s'est passé de drôles de choses ces jours-ci, et elle ne voulait pas le laisser seul.

– Simon, intervint Lauren en lui touchant à nouveau le bras, tu étais boursier, lauréat du mérite national ?

– Oui, pourquoi ?

– C'était Simon ! lança-t-elle.

Entendre son nom crié ainsi à travers la salle le gêna.

Sur l'estrade, Greer le désigna du doigt.

– Simon Howe, vous qui êtes rédacteur en chef du meilleur journal de Red Paint, étiez-vous notre lauréat du mérite national ?

Il agita la main en acquiesçant.

– En ce cas, je présume que la question porte sur vous. Voulez-vous bien nous avouer ce que vous avez fait lors de la soirée de promotion sans en subir les conséquences ?

Simon leva les mains en haussant les épaules, l'air de dire « Je n'en sais rien, et si je m'en souvenais, je le garderais pour moi ». Avant de se retourner, il jeta un coup d'œil à la salle de bal, parcourant une mer de visages. Lequel d'entre eux l'accusait ainsi ?

– Bien, reprend Greer, mes espions vont mener l'enquête. La carte suivante est encore une question relative au bal de promo : « Qui est allé sur le quai en douce, et pour y faire quoi ? ». Quelqu'un a une idée ?

Brewer lui donna un petit coup de coude.

– Toi tu t'étais esquivé en douce, Simon.

Ça l'irritait de constater que son ami se souvenait si bien de sa vie de lycéen.

– Qu'est-ce qui te fait dire ça ?

– Ils ont appelé le roi et la reine pour ouvrir le bal, et comme tu n'étais pas là j'y suis allé avec Ginnie. Je ne risque pas de l'oublier.

Ginnie. Pourquoi n'était-elle pas là ? Aujourd'hui, ils auraient pu s'offrir une danse. Un roi a besoin de sa reine, même vingt-cinq ans plus tard.

– Je me suis peut-être absenté pour prendre un rafraîchissement, se défendit-il. On l'a tous fait à un moment ou à un autre, non ?

– C'était ta seule raison de filer à l'anglaise, mon vieux ?

– Passons à autre chose, reprit Greer depuis l'estrade. Pourquoi personne n'a voulu écouter la fille du quai lorsqu'elle a…

Simon sentit le passé envahir son esprit comme une vague irrépressible : *la fille, le quai…* et les termes de la rubrique nécrologique, « une agression violente ».

– Ça va ?

Lauren toucha de nouveau son bras – *Combien de fois allait-elle le faire ?* – et serra un peu son biceps.

Il tenta de sourire, mais à son expression il comprit que sa bouche faisait tout autre chose.

– J'imagine que j'ai un peu trop bu.
– Tu n'as jamais tenu l'alcool.
– Tu as besoin d'air, remarqua Lauren d'une voix douce. Ce soir, une adorable petite brise souffle sur la baie.
– Bonne idée.
Elle prit son sac à main posé sur la chaise et le passa à son épaule. Il imagina la scène : traverser la pièce pour sortir avec Lauren. Et ce qu'on en conclurait.
– Je ne veux pas te monopoliser, dit-il. Je n'en ai que pour une minute.
Et il s'éclipsa rapidement, se frayant un chemin au milieu des danseurs ondulant pendant que les haut-parleurs beuglaient *« I will survive »*. Il ne cessa de scruter les visages dans l'espoir de surprendre un regard braqué sur lui. Celui qui avait rédigé ces questions devait certainement chercher à surprendre sa réaction. Que des traits connus : d'anciens camarades de classe désormais plus âgés, plus épais, les hommes portant barbe et moustache, les femmes plus lourdes, plus robustes, comme il convient à des mères de famille, bien loin des écolières sveltes qu'elles étaient dans ses souvenirs.
Où qu'il aille, tout le monde détournait les yeux.
Il passa les doubles portes de l'auberge et hésita un instant sur le porche, le temps de s'accoutumer à l'obscurité. Il entendait parler tout autour de lui, les voix rauques des fumeurs impénitents. Il descendit les marches pour se diriger vers le parking rempli de voitures garées à la diable. Il trouva la vieille Corolla, y monta et claqua la porte pour s'assurer qu'elle ne s'ouvrirait pas au premier cahot. Il tourna

autour des calandres de voitures en meilleur état pour gagner la rampe d'accès à la route. C'était bon de s'en aller, comme ça, sans prévenir personne. Pourquoi devrait-il se justifier ? Des phares apparurent derrière lui, certainement quelqu'un d'autre qui s'enfuyait, comme lui. Les lumières se rapprochèrent rapidement, puis se firent éblouissantes. L'autre était passé en pleins phares. Il tenta de protéger le rétroviseur de sa main, mais une clarté blanche inonda sa voiture, obscurcissant le chemin devant lui, masquant les obstacles qui pouvaient se présenter. Il ralentit un peu, et son poursuivant l'imita. Il fit un geste de la main pour lui intimer de le laisser tranquille, mais cela ne passerait-il pas plutôt pour un salut ? Il ralentit encore, plissant les yeux pour s'assurer que rien ne traversait la route : un cerf, un chien, ou même un humain. Il ne pouvait pas continuer comme ça, en aveugle. Il s'arrêta. L'autre voiture en fit autant. Simon ouvrit la portière et agita le poing. Voilà qui ne pouvait être mal interprété. L'autre baissa ses feux avant de repasser pleins phares. Simon se dirigea vers la lumière avec l'impression d'avoir été projeté dans un film de science-fiction, où il était un humain solitaire sur une route de campagne déserte avançant vers une présence inconnue. Il entendit vrombir le moteur et, dans un crissement de pneus, la voiture se précipita vers lui. Il n'arrivait pas à croire à ce qui se passait. Il ne savait d'ailleurs pas ce qui se passait exactement. Il courut vers la Toyota, mais n'eut pas le temps d'y monter. Il s'aplatit contre la portière et ferma les yeux alors que le bolide fonçait vers lui comme un ouragan.

25

Il s'étonne lui-même du calme avec lequel il se soumet à l'inspection et l'analyse de quelqu'un d'autre. Peut-être est-ce Amy Howe elle-même : l'odeur de son parfum, avec une touche de citron, lui ramollit le cerveau. Aujourd'hui, il s'est montré inhabituellement coopératif. Ça fait un quart d'heure qu'il n'a pas proféré le moindre sarcasme.

Elle inspire soudain profondément, comme si un surcroît d'oxygène pouvait la préparer à ce qui va venir.

– Quand vous avez épousé Jean, saviez-vous qu'elle avait été victime d'un viol ?

Comment aurait-il pu la rater, à si peu de distance, cette scène sur le quai baigné de clarté lunaire et de la lumière crue du parking ?

– J'ai tout vu.

Amy ouvre de grands yeux. Comme quoi il est encore possible de la choquer.

– Vous avez assisté à l'agression ?

Il sait ce qu'elle doit penser…

– De loin. J'aurais pu empêcher ce crime ?

– C'est ce que vous pensez ?

Répondre à une question par une question. Il connaît la musique.

– C’est ce que vous voudriez que je pense ?

– C’est à vous de décider ce que vous pensez. Je cherche juste à explorer ce que vous avez en tête.

– J’ai en tête que je n’aurais pas pu empêcher ce viol.

– Et ensuite, vous n’avez pas su enrayer la souffrance qu’il a engendrée.

– Exact. Je suis un raté sur tous les plans.

– Je ne vous juge pas, monsieur Chambers.

Bien sûr que si. On ne peut s’empêcher de juger chaque seconde de la vie des autres. Étudier, c’est déjà porter un jugement.

Elle ouvre le classeur posé sur son bureau et consulte son dossier comme si elle pouvait y trouver la réponse.

– Quand avez-vous épousé Jean ?

Il remarque alors seulement maintenant qu’elle porte une seule boucle d’oreille, une larme bleue, peut-être une topaze, pendant de son délicat lobe gauche. La boucle tremble légèrement lorsqu’elle bouge la tête. À son autre oreille, rien. Est-ce une erreur ou une nouvelle mode ? Alors qu’il la regarde, elle lève la main vers son autre oreille comme pour sentir cette absence, inspecte son bureau et trouve la boucle manquante à côté du téléphone. D’un geste rapide, elle la remet en place. *Quand avez-vous épousé Jean ?* Une question permettant de changer de braquet, afin de baisser quelque peu le niveau d’intensité.

– Après.

– Après ?

– Son viol, son départ de cette ville, la perte de son bébé. Après tout ça.

– Avez-vous épousé Jean en pensant pouvoir la guérir ?

La *guérir* – une façon de penser typique d'un psy, et d'une femme.

– J'ai épousé Jean en pensant que je l'aimais.

– Et ça n'a pas suffi pour combler ce vide en elle ?

– L'amour n'est jamais suffisant. Il n'atténue pas la douleur. On dit que l'amour et la haine sont les deux faces d'une même pièce, mais c'est faux. L'amour et la haine sont sur la même face de la pièce, mêlés l'un à l'autre.

– Vous voulez dire que vous avez fini par aimer *et* haïr Jean ?

Bien sûr. Doit-il vraiment énoncer l'évidence ? Pourquoi les psys font-ils toujours ça, comme s'il n'y avait pas de vérité sans mots ?

– Croyez-vous que tous les hommes soient capables de commettre un viol ?

Une autre question incendiaire lancée sans préavis. Elle doit y voir son style, désormais. Peut-être est-ce ainsi qu'elle en parle à Simon – *mon patient qui lance des questions*.

Leurs yeux se croisent. Les siens sont vert sombre, un océan agité.

– Je crois que n'importe qui est capable de violence, dit-elle, homme ou femme. Parfois, elle s'exprime par le viol.

– Mais avant qu'elle s'exprime, il est impossible de dire qui peut passer à l'acte, n'est-ce pas ? N'importe quel type ordinaire, un oncle, un cousin, un mari, même quelqu'un de calme comme moi, par exemple, peut commettre un viol si les circonstances le permettent. (Elle lève les yeux, sentant qu'il a quelque chose à ajouter.) Et je l'ai fait.

– Vous avez violé quelqu'un ?

– Jean.

– Vous avez violé votre femme ?

La surprise qu'elle exprime le surprend.

– Être marié ne donne pas le droit de s'envoyer en l'air quand on le veut.

– Non, mais il est normal…

– Il n'y avait rien de *normal* dans notre mariage. Jean faisait tout son possible pour éviter de faire l'amour avec moi.

– Dès le début de votre mariage ?

– Du début au milieu et jusqu'à la fin.

– Je vois.

Il se lève de son siège.

– Pouvez-vous cesser de dire ça ? Vous ne voyez rien, alors arrêtez.

Elle hésite, puis :

– J'allais dire que, normalement…

Il se fiche de ce qu'elle allait dire.

– Un an après notre mariage, reprend-il, la nuit de notre anniversaire, j'ai décidé que j'avais attendu assez longtemps. Alors j'ai rampé sur Jean, la clouant sur le lit de tout mon poids, je lui ai écarté les cuisses et je…

Il ne peut aller plus loin. Elle doit certainement comprendre ce qu'il veut dire.

– J'ai recommencé, deux fois par an, pas davantage. Après cette première fois, elle n'a plus rien fait pour m'en empêcher. Mais à chaque fois que je faisais l'amour à ma femme, j'avais l'impression de la violer. De la violer, répète-t-il, plus fort.

Amy se penche vers lui de derrière son bureau.

– Monsieur Chambers ?

– De la violer ! braille-t-il.

Elle prend son bloc-notes et l'abat sèchement sur son bureau.

– Stop !

De sa part, cette soudaine explosion d'énergie est si surprenante qu'il obéit.

– Je crains de devoir clore la séance d'aujourd'hui, dit-elle.

– Vous craignez ?

– Simple figure de style. J'ai…

– D'autres affaires qui vous appellent ?

– … une question familiale à régler.

Elle se lève, et il en fait autant, un peu trop vite. Il pose une main sur le bureau pour garder l'équilibre.

– Quelle coïncidence ! Moi aussi, j'ai une affaire familiale à régler !

Elle tire sur son chemisier, un petit geste protecteur.

– Vous ne m'avez jamais dit que vous aviez de la famille dans le coin, reprend-elle d'une voix radoucie, de retour en terrain connu, à parler famille.

Paul secoue la tête.

– Moi non. Vous oui.

Elle part pour contourner le bureau, et il la rattrape à mi-chemin, à portée de main, avec juste un espace dégagé entre eux. Elle fait un pas sur le côté, il fait de même, en parfaite harmonie, comme une figure de danse. Il ne se souvient pas de la dernière fois qu'il a dansé – au collège peut-être, un de ces bals où l'on pousse les garçons à traverser la salle vers un mur de filles qui font toutes une tête de plus qu'eux, se marrent avec leurs copines et secouent la tête – non, bien sûr que non, comment osent-ils ?

– Veuillez me laisser passer, monsieur Chambers.

Comment gérerait-elle un patient qui refuserait d'obéir ? Elle doit avoir d'autres moyens de persuasion que juste lui dire d'une voix sévère de la *laisser passer*.

– Vous m'entendez ?

Il sourit – encore une fois, la réponse la plus incongrue possible. D'un air moqueur, il met sa main en cornet autour de son oreille.

– Je vous reçois cinq sur cinq. Vous m'entendez, je veux…

– Vous allez vous éloigner de moi à l'instant, ou j'appelle la police pour qu'elle vous vire de mon bureau.

Sa déclaration manque de logique. S'il l'empêche de partir, pourquoi la laisserait-il appeler la police ? Il s'attendait à un peu plus de réflexion de sa part. Afin que les choses soient claires, il ajoute :

– Et si je vous en empêche ?

– Inutile d'en arriver là. Vous allez me laisser passer.

– Je comprends, c'est ce que vous pensez… mais si je refuse, que va-t-il se passer ?

Quel tour de cochon lui réserve-t-elle ? Une bombe lacrymogène ? Un pistolet bien caché ? Peut-être une alarme silencieuse qu'elle peut déclencher en appuyant sur un bouton sous son bureau ? À New York, peut-être, mais pas ici, à Red Paint,

« la petite ville la plus accueillante de tout le Maine », comme le dit le panneau. Presque un village.

– Si je crie, je peux vous assurer qu'on viendra.

– Dans un monde parfait, oui, on accourrait de partout pour voir ce qui se passe. Mais parfois, une femme hurle et personne ne vient.

Elle ne tarde pas à additionner deux et deux.

– Si c'est ce qui est arrivé à votre femme, vous m'en voyez navrée, mais cette séance doit se terminer sur-le-champ.

– Récapitulons, reprend-il. Un homme en deuil vient vous demander de l'aide après que sa femme a été violée à quelques kilomètres d'ici. Et vous l'accusez d'avoir été témoin de ce crime sans intervenir.

– Je n'ai pas dit ça, je…

– *Vous n'auriez pas pu intervenir, monsieur Chambers ?* fait-il, imitant sa voix très pro, insistante, mais en douceur. *Vous n'auriez pas pu repousser le violeur, monsieur Chambers ? Vous n'auriez pas pu vous conduire en homme, monsieur Chambers ?*

– Veuillez vous calmer et…

– Un mari en deuil se met en colère et élève la voix, continue Paul, parlant de plus en plus fort à chaque mot. Il vous confie qu'il a l'impression de commettre un viol à chaque fois qu'il couche avec sa femme. En guise de réponse, vous mettez fin à la séance *tout de suite* et menacez d'appeler la police ? Je croyais que votre métier consistait à aider ceux qui souffrent, madame Howe. Ou soignez-vous uniquement les gens calmes et coopératifs, les patients faciles, les femmes ?

– Je n'ai pas l'intention d'en discuter.

Elle s'apprête à décrocher le téléphone.

Bien sûr qu'elle ne débattrait pas d'un tel sujet avec un patient. Mais peut-être voudra-t-elle considérer la situation inhabituelle dans laquelle elle se trouve.

– Vous devriez y réfléchir à deux fois avant d'appeler la police, remarque-t-il. Ça ne vous attirerait que des ennuis, et votre mari n'apprécierait pas.

Elle devient blanche comme un linge. Il s'interroge sur cette réaction au niveau physiologique, comment la peur peut se répandre si vite dans le flot sanguin. Il a prononcé les mots magiques – *votre mari*. Elle n'est plus la seule concernée. Qu'est-ce que ce serait s'il avait dit *votre fils*. Elle ne peut même pas se résoudre à poser la question – *Qu'est-ce que mon mari vient faire là-dedans ?* – parce que ça signifierait qu'elle entre dans son jeu. Il doit continuer seul.

– Vous voulez certainement savoir ce que votre mari vient faire dans tout ça, alors je vais vous le dire. Si la police débarque, vous donnerez votre version de l'histoire et moi la mienne, y compris l'identité de celui qui a violé ma femme. Vous pouvez certainement deviner qui c'est ?

– J'ignore ce que vous tentez de faire, mais…

– Vous n'êtes pas curieuse d'en savoir plus sur votre mari le violeur ?

Mari, violeur. Ce doit être la première fois qu'elle entend ces mots dans la même phrase. Ça doit lui faire un choc.

– Et lorsqu'on est un violeur, on ne peut cesser de l'être. C'est une loi, le principe du tiers exclu d'Aristote. Vous le connaissez peut-être ?

Elle ne répond pas.

– Non ? Pourtant, j'avais l'impression que vous connaissiez bien Aristote. Oui ou non, ceci ou cela, tout vrai ou tout faux. Pas de juste milieu. Alors, qu'est votre mari ? Est-il un violeur, oui ou non ?

Elle tente de décrocher le téléphone, mais il le recouvre de sa main droite. Elle inspire rapidement, s'étrangle, tousse. Puis :

– Je vous donne cinq secondes pour sortir de mon bureau. Cinq secondes.

Ça l'amuse de voir qu'elle se croit en position de lancer un ultimatum. Il lève la main gauche, écarte les doigts et compte, rabattant d'abord l'auriculaire.

– Bien sûr que vous êtes curieuse. Une femme intelligente comme vous, *la guérisseuse de la communauté.* (Il baisse l'annulaire.) Qui apprend que celui avec qui elle est mariée depuis seize ans a violé une fille (le majeur) et s'en est sorti (l'index). Il n'a pas expié son péché. (Au tour du pouce de se replier, formant un poing.) Cinq secondes. C'est tout ce qu'il m'a fallu pour raconter l'histoire de la vie de votre mari. Parfois, il suffit d'un acte isolé pour prendre la mesure d'une personne, vous ne trouvez pas ? Maintenant, vous connaissez l'acte décisif qui définit votre mari.

Elle le dévisage, puis se détourne, comme s'il était un molosse – un berger allemand ou un doberman – qui devient agressif si on le défie du regard. Il n'aurait jamais cru avoir l'air si effrayant.

– Au fond de vous, vous savez que votre mari est un de ces hommes ordinaires parfaitement capables de commettre un viol. Il n'irait pas entraîner quelqu'un dans les buissons, rien d'aussi grossier ; par contre, à Bayswater Inn, il a attiré une fille sur le quai et l'a violée. Il l'a violée, répète-t-il plus fort. Violée ! hurle-t-il, puis il tourne son oreille vers le plafond. On pourrait croire que quelqu'un viendrait vous tirer de ce mauvais pas, comme vous l'avez dit. Combien de temps cela prendrait-il ? Je pourrais crier encore plus fort. Ou peut-être voulez-vous essayer vous-même ?

Elle scrute la pièce, cherchant une sortie possible. La fenêtre, bien fermée contre la chaleur de ce mois de juillet, n'offre guère de possibilités. Comment pourrait-elle l'atteindre, l'ouvrir et sauter au-dehors avant qu'il intervienne tout tranquillement derrière elle, passe ses bras autour de sa taille et l'entraîne à l'intérieur ? De plus, pour peu qu'elle y parvienne, cela signifierait une chute de plus de trois mètres pour finir sur le béton du parking en un amas de membres tordus. Non, elle doit rester et l'écouter.

– Ensuite, il ne put même pas la laisser en paix. Votre mari a appelé cette pauvre fille pour lui dire qu'elle avait tout intérêt à la fermer, sinon il raconterait à qui voudrait l'entendre qu'elle avait couché avec lui, et sa réputation en pâtirait bien plus que la sienne.

– Je ne vous crois pas.

Toujours cette voix calme. Étant donné les circonstances, son sang-froid est admirable.

– Il y a ce que vous croyez, et il y a ce qui s'est vraiment passé. Vous n'avez que l'embarras du choix.

Il retire sa main du téléphone.

Elle s'empare du combiné et tape trois chiffres – 911. Le numéro de la police.

C'est bon, il en a assez dit. Maintenant, il va se montrer plus coulant. D'ailleurs, il a un autre rendez-vous.

26

La carte postale disait : « Lorsque vous revoyez votre vie, quels mensonges vous racontez-vous ? Soyez sur le quai près de Bayswater Inn ce jeudi à 17 h 15. Fidèlement vôtre… »

Ce lundi, lorsqu'il était revenu de déjeuner, elle était posée contre le téléphone de son bureau. La photo représentait un élan géant avec pour légende : « Tout est plus grand dans le Maine ». Il n'y avait ni timbre ni tampon : cela signifiait que l'envoyeur l'avait déposée lui-même, ou peut-être l'avait-il confiée à un gamin en échange de quelques billets.

Il n'en parlerait pas à Amy. Cette fois, il irait seul.

*

* *

Le temps était exceptionnellement clair sur Red Paint Bay, le genre de fin d'après-midi où l'on pouvait voir les cabanes sur la rive opposée. Le bras d'eau agitée faisait moins de un kilomètre de large, une distance si réduite que, la nuit après le bal de promo, il avait tenté de le traverser à la nage. À minuit, il était venu sur le quai, s'était déshabillé pour ne garder que son caleçon, et avait plongé. Quelques centaines de mètres plus tard, il s'était arrêté et, après avoir fait du surplace pendant un moment, avait réalisé que les lumières d'en face ne semblaient pas se rapprocher. Il s'était alors retourné pour rentrer sur le dos en fixant l'infini du ciel au-dessus de lui.

Était-ce vraiment une bonne idée ? Il n'en savait rien. En fait, ce n'était sans doute pas très malin d'aller sur le quai sous l'auberge pour rencontrer celui ou celle qui lui envoyait des cartes postales anonymes dont l'une le traitait de *violeur* ! Au début, il avait réussi à se persuader que ces messages étaient destinés à quelqu'un d'autre, ou liés à l'embauche de David Rigero. Mais la rubrique nécrologique et les questions posées lors de la réunion lui avaient ouvert les yeux. Cette personne savait quelque chose, ou du moins croyait savoir, et l'avait certainement retrouvé pour le faire chanter. Il ne lui donnerait pas un sou, bien sûr. Céder au chantage reviendrait à admettre sa culpabilité, et il était innocent, du moins à ses yeux.

Simon entendit bouger derrière lui et se retourna. Il vit un homme traverser la plage, ses chaussures à la main. Il était bien trop habillé pour cette chaleur, avec une veste et une cravate. Simon tenta de jauger sa démarche raide et ses battements exagérés des bras, mais ne trouva personne qui corresponde à cette apparence pataude. L'étranger prit pied sur le quai, ses pas lourds faisant vibrer le bois. Soudain, Simon se sentit pris au piège au bout de cette étroite passerelle. Pas la moindre possibilité de fuite, sinon le bras de mer. Pourquoi s'était-il fourré dans un tel pétrin ?

L'homme s'arrêta à quelques mètres et le salua d'un hochement de tête. Il avait des cheveux noirs clairsemés en haut du crâne et une petite moustache coupée court. Une peau jaunâtre, des yeux rapprochés, des oreilles qui semblaient appartenir à une tête plus grosse. Un visage dont il pourrait se souvenir plus tard, si nécessaire.

Simon lui rendit son salut.

– Excusez-moi, mais on se connaît ?

L'homme eut un drôle de rire que Simon aurait dû se rappeler.

– Un jour, on s'est rentré dedans.

– Rentré dedans ?

– Dans les couloirs sanctifiés de Red Paint High. Mes livres ont volé dans tous les sens.

Simon essaya de s'imaginer la scène : en retard, comme d'habitude, il cavalait dans les étroits passages et, en prenant un virage à l'arrache, il renversait un gamin, un bleu qui ne savait pas qu'il valait mieux se planquer lorsque la cloche sonnait.

– Si je me souviens bien, c'était assez fréquent. Vous ne m'en voulez pas, j'espère ?

– Vous vous êtes arrêté pour m'aider à les ramasser.

Simon se sentit soulagé, ce qui l'étonna : pourquoi s'en faire pour un incident si banal ?

– Eh bien, heureux d'apprendre que je n'ai pas continué mon chemin.

Il attendit un moment pour permettre à la conversation de suivre son cours naturel, mais en vain.

– Et donc... ?

L'homme toucha sa moustache comme pour s'assurer qu'elle était toujours en place.

– Je m'appelle Paul. J'étais une année derrière vous.

– Paul, répéta Simon. Je ne me souviens pas de... Attendez, vous voulez dire Paulie, Paulie... Walker ?

– Maintenant, c'est Paul.

Simon étudia l'homme, cherchant une trace du gamin maigrichon qu'il avait connu. En vain.

– Vous avez livré des journaux pour le *Register* la même année que moi, c'est ça ?

– Vous avez une bonne mémoire.

– Ça m'est revenu d'un coup, vous portiez tout le temps un bandana rouge et, parfois, vous vous en serviez pour cacher votre visage.

– C'était moi.

De tous ceux qu'il avait jamais connus, il ne pouvait s'imaginer rencontre plus incongrue à ce moment précis de son existence.

– Alors c'est vous qui m'envoyez ces drôles de cartes postales ?

Maintenant qu'il savait qui se trouvait derrière cette mystérieuse correspondance, il était déçu. Il espérait quelqu'un d'un peu plus intéressant. D'un autre côté, il était content de savoir qu'il s'agissait juste d'un ancien camarade de classe, le petit Paulie Walker, un gamin qui faisait une tête de moins que lui et n'avait rien de menaçant.

– Ça semble évident.

– Eh bien, puisque vous êtes là... (Simon agita sa main en l'air pour donner un peu de mouvement à leur face-à-face.) Pourquoi ?

Il attendit la réponse, une suggestion de chantage.

– Comme je vous l'ai dit, vous m'avez donné une leçon, et je veux vous rendre la monnaie de votre pièce.

– Quelle leçon ?

– Comment garder un secret.

– Un secret ?

– Ce dont vous n'avez même pas parlé à votre femme. Le bal de promo, il y a vingt-cinq ans. Vous êtes venu accompagné. Jean Crane.

Simon sentit ses poings se serrer. Son cerveau cliqueta pour créer des liens entre les événements récents.

– Alors, vous avez bien épousé Jean ?

– Une autre déduction logique.

Il n'aimait pas son ton condescendant, ni la façon dont Paul le dévisageait, sans détourner les yeux un seul instant, cillant à peine.

– J'ai appris qu'elle était morte. Je suis désolé.

– Jean.

– Oui, Jean. C'était quelqu'un de bien.

– C'*était* quelqu'un de bien, en effet. Comme il est facile de parler d'elle au passé.

– Eh bien, comme elle est décédée, je…

– Un jour, reprend Paul, on parlera aussi de nous au passé. Elle *est*, elle *était*. *Décédée* est un terme fort peu évocateur. Pourquoi ne pas dire « Elle a cessé d'exister » ? C'est tout ce qui compte. On existe, puis on cesse d'exister. Ça arrive à tout le monde.

Maintenant, Simon comprenait les références constantes à la mortalité sur les cartes postales. Paul était obsédé par ce sujet, ce qui n'avait rien de réconfortant.

– Écoutez, il fait un peu trop chaud pour tenir une discussion philosophique. Si vous voulez qu'on monte à l'auberge, je vous paie un verre et on pourra en discuter. J'ai une demi-heure avant de devoir rentrer chez moi.

Paul éclata d'un petit rire à la sonorité agaçante.

– Vous êtes prêt à me consacrer trente minutes du temps qui vous reste à vivre ? Quelle générosité ! Mais je crois qu'il vaut mieux rester là en bas et voir combien de temps ça nous prend. Vingt minutes suffiront peut-être.

– Comme vous voulez.

Il posa ses chaussures sur le pont, les plaçant méticuleusement l'une contre l'autre, une précision bien inutile. Ses chaussettes étaient roulées en boule à l'intérieur. Il se tourna un instant vers le large, puis déclara :

– D'après vous, comment réagiront ces braves gens de Red Paint lorsqu'ils apprendront que le rédacteur en chef de leur cher *Register* a commis un viol ?

Simon remarqua son choix de mots – *lorsqu'ils* apprendront, pas *si* ils apprennent.

– Je n'ai rien fait.

Paul passa devant Simon, lui effleurant le bras, un geste délibéré. Une provocation, peut-être. Simon préféra ne pas réagir.

– C'est exactement ici que vous l'avez fait, n'est-ce pas ?

– Pourquoi me poser la question ? Vous semblez tout savoir.

– Ce que j'ignore, c'est comment vous avez pu la violer.

Simon agrippa le bras de Paul.

– Arrêtez ! Je n'ai rien fait.

– Rien ?

Impossible de chercher à communiquer avec cet homme, de le raisonner. Une seule solution : s'enfuir le plus vite possible.

– Écoutez, affirma Simon, m'avez-vous fait venir ici pour me dire quelque chose en particulier, ou comptez-vous passer à l'action ?

– Lorsque je passerai à l'action, vous le saurez. Et moi aussi.

– On dirait une menace. Il y a des lois qui interdisent ça.

– La loi interdit bien des choses. Mais ça n'empêche pas de les faire, non ?

Simon pouvait difficilement prétendre le contraire.

– Que voulez-vous que je vous dise, que je suis désolé d'apprendre que ce qui s'est passé l'a marquée ? Je suis désolé. C'est bon ?

Il s'entend prononcer ce qui ressemble fort à une excuse et sait que ça ne suffira pas.

– La *marquer* ? Vous croyez que ce viol l'a juste *marquée* ?

Simon regarda un moment danser les flots, comme si leur conversation était des plus banales et qu'il pouvait s'en laisser distraire.

– Vous pouvez le remplacer par tous les mots que vous voudrez : *brisée*, *bouleversée*. Les ados s'envoient en l'air tout le temps sans que ça affecte le reste de leurs vies.

Lorsqu'il revint à Paul, celui-ci le dévisageait toujours sans ciller.

– Jean ne couchait pas à droite et à gauche. Elle était vierge.

– Je sais, répondit Simon. Elle me l'a confié quand on a parlé de le faire.

– Vous aviez parlé de la violer ?

– Non, Paulie, de faire l'amour. C'était ma première fois, à moi aussi.

– Mais vous avez pu décider du moment où vous passiez le cap. Pas elle. C'était une vierge de seize ans.

Ce chiffre sauta aux oreilles de Simon. Seize ans ? Impossible. Jean était en première.

– Non, elle était dans la classe inférieure à la mienne, elle devait avoir au moins…

– Jean venait d'avoir seize ans, affirma Paul. Elle avait sauté une classe avant de s'installer à Red Paint. C'était une fille de première d'à peine seize ans, tout excitée à l'idée qu'un type de terminale, le capitaine de l'équipe de lutte, le fils d'une des meilleures familles de toute la ville, veuille sortir avec elle.

– Je croyais qu'elle avait dix-sept ans.

– Et si elle avait eu dix-sept ans, ça n'aurait pas été un viol ?

– Putain, mais fermez-la !

Simon sentait la colère courir dans ses veines, prête à se déchaîner.

– Il y a des lois qui interdisent aux garçons de dix-huit ans de se taper des filles de seize ans, remarqua Paul. Ça s'appelle un détournement de mineure. C'est une forme de viol, quoi qu'il arrive. Et vous n'avez jamais été inquiété. Bien joué !

Détournement de mineure. Une forme de viol.

– Je n'ai rien fait. Je vous l'ai dit, elle n'est jamais allée voir la police. Elle n'en a même pas parlé à sa cousine.

– Parce que vous l'avez menacée. Elle avait peur.

– Ridicule ! Je ne l'ai jamais menacée.

– Par la suite, vous l'avez harcelée.

– C'était ma cavalière pour le bal de promo. Je l'aimais bien. Je l'ai appelée pour savoir pourquoi elle refusait de me voir. Lorsqu'elle me l'a expliqué, je me suis excusé…

– Vous vous êtes excusé de l'avoir violée ?

– Arrêtez un peu ! Je ne l'ai pas violée.

– Comment appelez-vous avoir un rapport sexuel avec une personne non consentante ?

Simon leva les mains, incapable de concevoir ce qu'il pouvait répondre à ça.

– Qu'attendez-vous de moi, que j'aille en prison pour quelque chose qui s'est passé il y a vingt-cinq ans ? Vous croyez pouvoir tout recommencer et témoigner en son nom au tribunal ?

– Une seule forme de justice m'intéresse : que vous racontiez ce qui est arrivé.

Simon se sentit mieux : au moins, l'autre ne voulait pas le faire arrêter. Tout ce qu'il souhaitait, c'était faire éclater la vérité. Ça semblait simple.

– Je vous ai déjà dit ce qui s'est passé. On a fait l'amour et c'est tout.

– Vous étiez bourré, et vous croyez avoir une idée précise de ce que vous avez fait ?

– Je sais ce que je pensais faire.

– Ce n'est pas la même chose, n'est-ce pas ? La seule intention ne vous exonère pas. Ce qui compte, c'est ce que vous auriez dû faire.

– Vous en parlez comme si ça s'était passé la semaine dernière. Je ne me rappelle pas tout jusqu'aux moindres détails.

– Jean si, jusqu'au goût de l'alcool sur votre langue lorsque vous l'avez embrassée. Elle se souvient de votre poids sur elle, l'empêchant d'ouvrir la bouche pour respirer. Vous avez étouffé ses mots.

Simon pouvait revoir la façon dont elle s'était cabrée et tortillée sous lui, ses ongles lui griffant le dos. Des jours durant, il s'était tordu le cou pour regarder ses omoplates dans le miroir et voir les longues marques rouges qu'elle y avait laissées. Elle avait envie de lui, c'était évident. Il avait montré ces coups de griffes à Brewer, et il n'avait même pas l'impression de frimer.

– Écoutez, Paulie, Paul, ou quel que soit le nom qu'on vous donne… Vous avez intérêt à aller voir un psy, parce que vous délirez totalement.

– Je vois déjà une psy, s'empressa-t-il de dire, ici même, à Red Paint. En fait, je reviens de son cabinet. On peut dire qu'on a eu un petit différend. Elle croit tout savoir sur le viol, mais je me suis permis d'en douter.

Simon prit Paul par les bras pour l'immobiliser, à quelques centimètres de la surface des flots.

– Si vous avez fait quoi que ce soit à ma femme, je vous tue.

Sous sa poigne, Paul devint flasque, sans la moindre tension, comme un cadavre.

– *Je vous tue* ? C'est ce que dirait n'importe quel mari. Vous pouvez certainement faire mieux.

Simon le lâcha en le poussant légèrement. Paul éclata d'un rire moqueur. Était-ce à cause de son rictus railleur, de ses accusations, ou peut-être de cette moustache ridicule ? Toujours est-il que Simon lui sauta dessus et le fit tomber sur le quai. En une seconde, il se retrouva à cheval sur lui, le poing levé. Et ensuite ? Que fait-on à quelqu'un qui ne résiste même pas ?

Paul lui souffla en plein visage :

– C'est ce que vous aimez. Avoir le dessus. Il faut toujours que vous ayez le dessus.

Simon se rassit, comme un gamin dans une bagarre de cour de récré, le vainqueur qui ne sait pas vraiment ce qu'il a gagné. Il se leva prudemment, attentif au moindre geste visant à lui faucher les jambes et l'envoyer à l'eau. Enfin hors d'atteinte, il tira son téléphone et composa le numéro d'Amy sans quitter du regard Paul qui se mettait à genoux, puis se relevait à son tour.

– J'espère pour vous qu'elle va décrocher. (Il y eut plusieurs sonneries, puis la voix enregistrée du répondeur.) Amy, où es-tu ? Si tu es là, réponds, réponds tout de suite ! (Il se tourna vers Paul.) Où est-elle ?

Paul haussa les épaules.

– Vous avez de la chance d'avoir une femme si belle.

En un éclair, Simon revit l'incident du Labyrinthe des Miroirs… « *Vous avez de la chance d'avoir un si beau garçon.* » Cet homme, ce Paul Walker, épiait Amy *et* Davey. Simon sentit ses doigts se crisper. Le poing se leva et frappa. Paul le vit certainement venir mais ne fit rien pour l'éviter ; au contraire, il sembla se pencher en avant pour accuser la pleine force du coup. L'impact l'envoya bouler en arrière, et il bascula dans l'eau. Il frappa la surface des flots, faisant naître une vague qui inonda le quai, et disparut. Simon scruta l'onde. La tête de Paul remonta pour couler à nouveau. Simon se mit à compter… *Un, deux, trois*, et lorsqu'il atteignit dix, il lui sembla qu'une éternité s'était écoulée. Pourquoi Paul ne refaisait-il pas surface ? Il ne pouvait pas l'avoir mis KO. d'un seul coup de poing. Il regarda vers l'autre côté du quai, puis le bord opposé pour voir si Paul s'y cramponnait. *Vingt, vingt et un* – combien de temps un homme pouvait-il retenir son souffle ? Peut-être s'était-il cogné la tête contre un rocher – ce qui, plus tard, expliquerait les marques sur son visage. Personne ne penserait qu'il avait reçu un coup de poing. Simon frotta sa main droite contre sa chemise – pas de marque, pas de sang sur ses phalanges, rien qui puisse l'incriminer. Non, mais pensait-il vraiment à la meilleure façon de dissimuler un meurtre ? *Trente, trente et un*… La tête réapparut, crachant de l'eau avant d'aspirer de grandes goulées d'air. Paul Walker n'était qu'à quelques centimètres du quai, presque à sa portée, en tout cas à quelques brasses près. Il battit des bras, puis ses mains se tournèrent vers Simon. *Il se noie*. Une idée étrangement rassurante – son imprécateur, l'homme qui menaçait sa famille, suffoquait. Simon se retourna, regarda l'auberge et son petit parking, puis fit un tour à trois cent soixante degrés pour scruter la baie. Personne en vue. Maintenant, Paul griffait la surface des flots, et pourtant son visage n'exprimait ni peur ni détresse. Était-ce là ce qu'il voulait vraiment : mourir ? Allait-il exaucer son vœu ?

Son téléphone sonna, *da-da-da-da*, la mélodie devenant plus sonore alors qu'il le sortait maladroitement de sa poche. *Amy.*

– Simon, dit-elle, qu'est-ce qui se passe ? Ton message m'a fait peur.

– Ça va ?

– J'ai eu un petit problème, mais c'est fini. Et toi ? Qu'est-ce qui t'arrive ?

– Rien, répondit-il en regardant Paul patauger. Je me demandais où tu étais, c'est tout.

– Je suis au bureau, mais il faut que je te parle.

La tête coula de nouveau, engendrant un léger creux dans l'eau, avant de disparaître.

– Oui, d'accord, mais je t'entends mal. Je te retrouve chez nous plus tard. Bisous.

Il coupa la connexion pour se tourner à nouveau vers la surface de l'eau. Elle était remarquablement lisse, comme une feuille de papier vert, avec à peine une ride.

Au bout d'un temps qu'il n'aurait su évaluer, Simon plongea à son tour.

27

Il entra par la porte de derrière, tout dégoulinant, et s'empressa de gagner la buanderie. Il déboutonna sa chemise avant de la jeter dans le séchoir. Puis il dégrafa sa ceinture, et laissa son pantalon tomber à terre avant de s'en débarrasser.

– Hé, p'pa, qu'est-ce que tu fais ?

Simon se retourna d'un bond en mettant son pantalon devant lui, ce qu'il trouva ridicule. Il n'avait jamais caché sa nudité à son fils, et de plus il portait encore son caleçon. Il jeta le tout dans la machine.

– Je fais sécher des vêtements, Davey. Ils sont mouillés.

Le garçon tendit le doigt.

– T'es poilu.

– Ça arrive quand tu grandis. Dans quelques années, toi aussi, tu auras du poil sur la poitrine.

– Nan. J'les arracherai un par un.

– Bon courage.

Davey entra dans la buanderie et se hissa sur la machine à laver.

– Comment tu t'es mouillé ?

Simon régla le cadran sur vingt minutes et appuya sur le bouton. Le vieux séchoir émit un bruit de crécelle.

– Eh bien, sur le chemin de la maison, je buvais un soda lorsque j'ai dû donner un coup de frein. J'ai renversé mon verre.

Le mensonge lui vint tout naturellement, sans qu'il ait besoin d'y réfléchir. Il n'eut qu'à ouvrir la bouche, et voilà.

– Ça devait être un gros.

– Un jumbo, de Burger World.

Davey se pencha pour lui donner un petit coup sur le bras.

– Tu devrais pas boire et conduire, p'pa. Tu pourrais te faire arrêter.

– Comme c'était du Sprite, je ne risquais pas grand-chose. Mais tu as raison, je ne devrais rien boire du tout et garder les deux mains sur le volant.

Simon vit le regard de son fils dériver vers son caleçon trempé. Avisant une pile de serviettes sur la machine à laver, il en prit une et s'essuya.

– N'en parle pas à maman, d'accord, fiston ? Je ne veux pas qu'elle s'inquiète en pensant que je pourrais avoir un accident.

– Tu ne veux pas qu'elle te crie après, plutôt ?

– Elle ne crie pas, elle sermonne.

– OK, je ne cafterai pas. (Davey se laissa aller en arrière sur la machine à laver comme si c'était un fauteuil familier.) Peut-être.

– Peut-être ?

– Alors tu n'auras pas à lui parler de moi et Kenny, pas vrai ?

– On dit « Kenny et moi ». Qu'est-ce que vous avez encore fait, tous les deux ?

– Sa mère nous a chopés en train de jouer aux lanceurs de couteau.

– Vous vous lanciez des couteaux dessus ?
– Pas sur nous. On se contentait de les jeter sur l'ours en peluche de sa sœur. Le premier qui le touche a perdu.
– Pourquoi cette passion soudaine pour tout ce qui coupe ?
– T'as jamais joué au lanceur de couteau quand t'étais petit ?
Simon y réfléchit un instant.
– Une ou deux fois, sans doute.
– Alors tu sais que c'est cool.
– Beaucoup moins quand tu te coupes. Si tu n'arrêtes pas de jouer avec des lames, je te prive de sortie pour un mois, ou plus, jusqu'à ce que tu comprennes.
Le gamin se mit à battre des pieds en rythme contre la machine, un, deux, un, deux. Simon empoigna ses chevilles pour le faire arrêter.
– Tu m'écoutes ?
– Alors, marché conclu ?
Voilà qu'il marchandait avec son fils. Son fils qui jouait avec des couteaux. Un bon parent n'agissait pas comme ça. Ce n'était pas convenable. Peut-être n'était-il pas dans son état normal ? Un cas de folie temporaire provoqué par le stress ? Combien de personnes pouvaient en dire autant ?
– Bien, décida-t-il. Pour cette fois, afin de ne pas mettre maman en colère, on va garder nos secrets.
Le garçon cracha dans sa main et la tendit.
– Juré, craché ?
– Où as-tu appris cette expression ? Je ne vais pas cracher dans ma main !
– Alors le marché n'est pas conclu.

Simon plaça sa paume devant sa bouche et fit semblant de cracher. Le garçon lui serra la main de toutes ses forces tout en la retournant. Simon avait oublié le côté intime de ce rituel adolescent, à quel point il avait quelque chose de définitif.

– Maintenant, affirma Davey, on pourra jamais en parler. À personne.

*

* *

Il l'entendit l'appeler depuis la porte de devant, puis le martèlement de ses chaussures alors qu'elle montait l'escalier quatre à quatre. Il avait toujours trouvé ses pas trop insistants, impossibles à ignorer. Il espérait être prêt à lui faire face, savoir ce qu'il allait lui raconter. Et pourtant, maintenant qu'il sortait de la salle de bains en caleçon, en s'essuyant la tête, il ne savait absolument pas s'il allait mentir ou dire la vérité. L'un comme l'autre étaient dangereux.

– Simon, ça va ?

– Bien sûr, pourquoi ? répondit-il gaiement, se penchant en avant pour leur baiser habituel.

Elle le regarda d'un air perplexe, surprise par sa nonchalance, ou autre chose.

– Tu viens de prendre une douche ?

– Oui.

– Tu le fais toujours le matin, avant d'aller au travail.

Il jeta la serviette dans le panier à linge sale du vestibule.

– Tu devrais réviser tes préjugés me concernant, dit-il d'un ton légèrement moqueur. Parce que, comme tu peux le constater, aujourd'hui, je me suis douché au retour du travail.

Elle prit la serviette qu'il avait jetée dans le panier et l'emporta dans la salle de bains. Il la vit l'enrouler autour de la barre.

Qu'elle se préoccupât d'un détail si insignifiant était bon signe. Elle fit couler de l'eau et s'aspergea le visage, puis se regarda dans le miroir. Il se détourna pour entrer dans la chambre.

Elle fit de même un instant plus tard et s'assit au bord du lit.

– Ton coup de fil m'a fichu la frousse, dit-elle. J'ai cru qu'il t'était arrivé quelque chose, ou à Davey, ou… je ne sais pas. (Elle retira ses chaussures.) Où est-il ?

– Dehors, répondit Simon. Je l'ai vu en rentrant. Il va bien. Moi aussi.

– Tu as raccroché si vite et, lorsque j'ai rappelé, je suis tombée sur ton répondeur.

– Oui, comme je te l'ai dit, c'était un problème de réception.

Il ouvrit un tiroir et en tira un T-shirt noir.

– Aujourd'hui, reprit-elle, j'ai passé un sale moment au bureau.

Il enfila le T-shirt par-dessus sa tête, cachant ses yeux et ses oreilles, faisant disparaître le monde l'espace d'un instant. Puis il prit sa brosse à cheveux. Il pouvait voir Amy dans le miroir de la commode, suivant ses faits et gestes comme s'ils avaient une signification profonde. Il se demanda à quoi ressemblait un homme qui se brossait les cheveux une heure après avoir tué quelqu'un. Qu'est-ce qui pouvait bien le trahir ?

– Comment ça ? demanda-t-il en posant la brosse sur son bureau.

– C'est ce nouveau patient dont je t'ai parlé, il ne voulait pas sortir de mon bureau.

Simon sentit un frisson de peur le traverser, le même que sur le quai. Amy, piégée dans son bureau par un dément. Elle aurait pu se faire agresser, violer et tuer, et il n'aurait rien pu faire pour l'empêcher. En fait, tout aurait été de sa faute, puisque c'était lui qui avait laissé ce taré entrer dans leur vie. Il la prit dans ses bras. Contrairement à d'habitude, elle lui sembla toute petite, comme si elle avait perdu de sa vitalité.

– Désolé, dit-il. J'aurais voulu pouvoir faire quelque chose.

Elle se tortilla légèrement et il la relâcha.

– Tu n'aurais rien pu y changer, n'est-ce pas ?

– Je ne sais pas. Mais je pense toujours que je dois te protéger.

Il regarda par la fenêtre et vit la cabane nichée entre deux branches du grand pin blanc, avec une échelle de corde descendant jusqu'au sol. L'endroit où Davey s'était réfugié lorsqu'un étranger s'était attardé devant leur porte.

– En fait, reprit Amy, il ne m'a pas touchée. Il refusait juste de me laisser passer.

Voilà un fait qui pouvait lui être utile. Paul l'avait retenue contre sa volonté, et dans quel but ? Il pouvait l'inclure dans sa défense si besoin était… *Il a dit qu'il sortait juste du bureau de ma femme et a suggéré qu'il lui avait fait du mal… Non, il n'a pas dit quoi exactement. J'ai tout de suite imaginé le pire.*

– Donc, reprit Amy, j'ai appelé la police.

Simon se retourna plus vite qu'il ne l'aurait dû. Par la suite, il devrait contrôler ses réactions pour ne pas se trahir.

– C'était vraiment nécessaire ?

– Il a dit que tu ne voudrais pas qu'ils s'en mêlent.

– Quoi ?

– Mon patient, Paul, a bien spécifié que tu n'aimerais pas que j'appelle la police, parce que sinon il leur raconterait tout.

Tout – tout quoi exactement ?

– Je n'ai pas dit que je ne voulais pas que tu appelles la police, je me demandais juste si c'était bien nécessaire.

– Il ne leur a rien raconté, si c'est ce qui t'inquiète. Tout d'un coup, il a tourné les talons et s'en est allé, comme ça.

– A-t-il précisé où il allait ?

Elle lui jeta un regard curieux, toujours assise sur le lit, les mains sur les genoux, sans rien faire, à part l'observer. Maintenant, il comprenait à quel point sa réponse était suspecte. Peser soigneusement ses questions avant de les poser était plus difficile qu'il ne l'aurait cru.

– Non, il a passé la porte comme n'importe quel autre patient. J'ai rappelé la police et leur ai demandé d'ignorer mon appel, mais ils ont tout de même envoyé quelqu'un.

Simon s'agenouilla pour attraper ses sandales rangées sous le lit. Il dut tendre le bras pour les récupérer toutes les deux. Lorsqu'il se releva, il déclara :

– Tu ne comptes pas le revoir, n'est-ce pas ?

Sachant ce qu'il savait, il se sentait particulièrement malhonnête. Bien sûr qu'elle ne le reverrait pas. Il sut alors qu'il n'allait pas lui raconter sa rencontre avec Paul, ni leur bagarre, ni qu'il l'avait regardé couler dans les eaux glauques de la baie. C'était inutile.

– Bien sûr que non. De toute façon, il a dit qu'il allait quitter Red Paint.

Amy regarda Simon enfiler ses sandales dans un silence gênant.

– Mais il a aussi dit quelque chose d'assez dérangeant, reprit-elle. Peut-être voulait-il juste me choquer, je n'en sais rien, mais il faut qu'on en parle.

Simon se dirigea de nouveau vers la fenêtre, afin de ralentir le flot de la conversation. Il vit Davey dans le jardin, au pied de l'arbre. Il tenait quelque chose en main, quelque chose qui lui servait à entailler l'écorce. Certainement un couteau. Même sous la menace d'être privé de sorties à perpétuité, il était là, à graver quelque chose sur ce tronc, sans même se cacher.

– Davey me fait signe de sortir, dit-il. Peut-on remettre ça à plus tard ?

– Plus tard, genre jamais ?

Il eut un petit rire.

– Non, juste un peu plus tard. La journée a été dure.

*
* *

Après les pâtes et les gressins, après la salade verte et les mini-carottes bio mijotées dans du sucre brun, après avoir regardé deux heures d'un marathon de *La Quatrième Dimension* (une idée de Davey), blottis côte à côte sur le canapé, le garçon se reposant tantôt sur l'un, tantôt sur l'autre comme s'ils étaient des oreillers, ils l'envoyèrent au lit. C'est alors qu'Amy déclara :

– Est-ce assez tard à ton goût ?

Simon regarda sa montre : 22 h 05, l'heure à laquelle, en général, ils allaient se coucher à leur tour pour bouquiner un peu. Mais pas ce soir.

– Bien sûr, allons-y.

– Comme je te l'ai dit, aujourd'hui, j'ai eu quelques problèmes avec un patient.

– Tu devrais faire installer un système de sécurité, une alarme reliée au poste de police, par exemple. Ils peuvent s'en charger.

– Simon, cet homme t'a accusé formellement.

– De quoi ?

– De ce qui s'est passé sur le quai près de l'auberge au bal de promo, il y a vingt-cinq ans. Il prétend que tu as forcé une fille à avoir un rapport sexuel.

Elle était d'une délicatesse inhabituelle, pensa Simon. Paul aurait parlé de *viol*, et répété ce mot jusqu'à l'écœurement.

– Tu vois de quoi il s'agit ?

Simon se demanda ce qu'il devait lui révéler, quoi inclure, quoi écarter. Il y a tant de façons de raconter une histoire.

– Cet homme, commença-t-il, ton patient, ce Paul Walker, il…

– Paul *Walker* ? Il a dit s'appeler Paul Chambers.

– Chambers est son second nom de famille. J'imagine qu'il voulait cacher sa véritable identité.

Il a épousé Jean Crane, ma cavalière pour le bal. Je ne la connaissais pas plus que ça. Elle était à côté de moi en cours d'espagnol. Elle était jolie et intelligente, et comme je venais de rompre avec Ginnie, ma copine de l'époque, je lui ai demandé si elle voulait aller au bal avec moi. La fiesta se tenait au Bayswater Inn. Pendant la nuit, on s'est éclipsés une ou deux fois pour aller boire un verre, moi plus qu'elle, je présume. Puis on est descendus sur le rivage, et là on s'est un peu laissé emporter.

Il se rappelait avoir titubé sur le sable et regardé la lune suspendue dans le ciel. Il se rappelait la flasque cachée dans la poche de son smoking et la Chopin, la meilleure vodka polonaise, lui brûlant le gosier comme du feu liquide. Il se rappelait avoir tourné, tourné, le cerveau tourbillonnant, le monde dansant la gigue autour de lui.

– Vous avez baisé ? demanda-t-elle avec surprise, comme si cette révélation était décevante.

– Oui, on a baisé. Et j'ai bien vu qu'elle était remuée. Après, je veux dire. Elle a demandé à Holly Green, sa cousine, de la ramener. Je l'ai appelée plusieurs fois durant les deux jours suivants, mais elle n'a pas voulu me parler. Finalement, je suis allé chez elle. C'est là qu'elle a prétendu que je l'avais prise de force.

– Oh, Simon ! (Il ne l'avait jamais entendue prononcer son nom de cette façon, avec une déception presque palpable.) Je n'arrive pas à croire que tu me racontes ça.

– Je préférerais m'en passer.

– Tu me dis que tu ne l'as pas violée ?

Il s'entendit répondre rapidement et fermement :

– Bien sûr que non.

Il aurait pu se contenter de cette déclaration et en rester là. Mais une force le poussa à ajouter :

– Du moins je ne crois pas.

– Tu ne *crois* pas ?

– J'avais pas mal picolé, et je n'avais pas l'habitude. Je n'avais jamais bu plus que quelques bières, et là j'étais passé à la vodka. On s'envoyait de grandes rasades, on folâtrait sur le quai, et comme je te l'ai dit, on s'est laissé emporter.

– Est-ce qu'elle t'a dit non ?

– Elle disait oui, elle disait non, elle disait oui, elle disait non, sans cesser de rire. Du moins je crois. Peut-être qu'en réalité elle pleurait.

– Il y a une sacrée différence entre le rire et les larmes !

– Non, quand on est bourré, pas tant que ça.

Amy se baissa vers le canapé comme si elle comptait s'y enfoncer, mais rebondit pour se tenir au bord du siège.

– Un instant… le violeur de la prison !

– David ? Quoi ?

– C'est pour ça que tu l'as embauché ? C'est une sorte d'alter ego ?

La suggestion lui parut excessivement bizarre.

– Ça n'a rien à voir. Ça fait des années que je n'ai pas repensé à Jean.

Amy le regarda d'un air stupéfait.

– J'imagine qu'elle, par contre, a beaucoup pensé à toi.

– Qu'est-ce que tu cherches à faire avec ce petit interrogatoire ? Me donner mauvaise conscience ?

– Juste te faire ressentir quelque chose. Tu racontes cette histoire comme si elle était arrivée à ton vieux pote Ray ou à quelqu'un que tu aurais connu il y a longtemps.

– C'est arrivé à quelqu'un d'autre il y a longtemps : moi, il y a vingt-cinq ans.

– C'est quand même toi, Simon. Tu ne t'effaces pas toi-même à chaque étape de ta vie. Une personnalité humaine se développe par couches successives, l'une par dessus l'autre. Grattes-en une et tu peux voir ce qui se cache dessous.

– Comme un palimpseste.

– Un quoi ?

– Un palimpseste. Un parchemin sur lequel on n'a cessé d'écrire au fil des siècles, si bien qu'on peut encore voir une partie des différents documents. Si tu veux employer cette métaphore, tu dois connaître le mot qui la désigne.

– Je n'en ai pas besoin. Mes patients me comprennent.

– Eh bien, malgré ta théorie concernant la personnalité humaine, je suis différent. Aujourd'hui, je ne me fourrerais pas dans le même pétrin qu'il y a vingt-cinq ans.

Amy secoua la tête d'un air méprisant.

– Quoi ? *Me fourrer dans le même pétrin* ? On dirait qu'on t'a imposé tout ça !

– Que veux-tu que je te dise, que j'ai trop bu et ai violé ma cavalière au bal ?

– Si c'est ce que tu as fait.

– Je le répète, je ne sais pas exactement ce qui s'est passé. Je sais juste ce que je croyais faire à l'époque, et ce n'était certainement pas un viol.

– Tu lui as demandé si elle avait envie de toi ?
– Bien sûr. Je ne lui ai pas sauté dessus sans crier gare.
– Tu lui as demandé si elle voulait faire l'amour avec toi ce soir-là ?
Simon acquiesça.
– Ce soir du bal de promo, juste avant de coucher avec elle, tu lui as demandé si elle en avait envie, et elle a dit oui ?
– Non, mais tu es avocate ou quoi ? Je ne lui ai pas posé la question à ce moment précis. On en avait parlé avant.
– Combien de temps avant ?
– Je ne sais pas. Deux jours, peut-être. La semaine d'avant, à un moment ou un autre.
– Une semaine ? Et tu ne lui as pas redemandé ?
– Si.
– Qu'as-tu dit ?
Il ne se souvenait pas de ses termes exacts, juste du moment où il était sur elle.
– Je lui ai rappelé qu'on en avait discuté et qu'elle était partante.
– Pendant que tu la clouais au sol, tu lui as rappelé ce qu'elle avait dit une semaine auparavant ?
– Tu mélanges tout. Sur le moment, c'était tout à fait raisonnable.
– Pour un homme, tout est toujours justifié.
– Peut-être parce que ça l'est. Tu n'as jamais envisagé qu'il est possible que la fille se trompe et que l'homme voie la situation telle qu'elle est ? Qu'elle flirte, aguiche, envoie des signaux conflictuels qu'un ado dopé par ses hormones peut avoir du mal à déchiffrer ?

Amy eut un sourire sans joie.
– L'autre face du viol…
– Quoi ?
– Ton violeur mélomane… il s'est tenu là, dans cette maison, dans cette pièce, à me dire qu'un viol a toujours deux faces.
Simon hésita sans trop savoir s'il devait s'engager sur cette voie. Mais il ne pouvait jamais refuser un débat.
– C'est peut-être vrai.
– Non, Simon, dans un viol, il y a deux personnes, mais il n'y a toujours qu'une seule face, celle de la victime. Catharine MacKinnon dit…
Un autre nom qu'il était censé connaître.
– Qui est-ce ?
– Une universitaire féministe. Elle postule que la seule vraie blessure que laisse le viol est celle que perçoit la victime, mais que, légalement, c'est la perception qu'a l'homme de ce qu'elle désire qui détermine s'il l'a forcée ou pas.
– Donc, la loi a tort ? On devrait peut-être instaurer un système judiciaire où une femme peut crier au viol même si elle a bien spécifié qu'elle était consentante, mais se sent coupable ensuite. Si c'est là ta définition du viol, il faudra construire beaucoup de prisons.
– Ce n'est pas ce que j'ai dit.
– C'est ce qu'a dit ta féministe. Tout ce qui compte, c'est ce que pense la femme.
– C'est son corps.
– C'est aussi celui de l'homme.
– Hé, pourquoi vous vous disputez ?
Amy fit un bond. Là, au milieu de l'escalier, appuyé contre la rambarde, se tenait leur fils,

vêtu d'un short de gym et d'un T-shirt en guise de pyjama.

– Davey. Je te croyais couché.

– Casper a encore vomi sur mes draps.

Simon se leva.

– Si tu lui donnais ses médicaments chaque jour comme tu es censé le faire, peut-être qu'elle arrêterait.

– Un peu tardif comme conseil, remarqua Amy avant de se tourner vers Davey. Retire tes draps et mets-les dans le vestibule. Passe la nuit dans la chambre d'amis. Le lit est prêt.

– Mais on dirait une chambre de fille !

– Alors prends des draps propres dans le placard et refais toi-même ton lit.

– Mais…

– Obéis à ta mère, affirma Simon. Tu dors dans la chambre d'ami ou tu refais ton lit.

– Et si…

– Exécution !

Davey remonta l'escalier d'un pas lourd en regardant par-dessus son épaule. Simon attendit jusqu'à ce qu'il l'entende marteler la moquette de l'étage.

– Alors quoi ? Maintenant, tu vas me traiter comme David Rigero, le paria local ?

Amy baissa la tête pour réfléchir un instant. Elle leva lentement les yeux et les posa sur lui.

– Pourquoi tu m'as caché tout ça ?

Il soutint son regard.

– Je ne t'ai rien caché. Je te l'ai dit, ça fait des années que je n'y ai pas repensé.

– Alors tu te le caches à toi-même ?

– Arrête de faire la psy, tu veux bien ?

– C'est peut-être ce qu'il te faut, parce que je ne cesse de le constater. Les gens bloquent les expériences déplaisantes. C'est comme un abcès qui ne cesse de croître jusqu'à ce qu'ils soient bien obligés de l'affronter.

– Je ne bloque rien du tout. Je n'ai pas besoin de ressasser ce qui m'est arrivé au sortir du lycée.

– Quelque chose que tu as fait.

– Quoi ?

– Ça n'est pas juste arrivé, tu l'as fait. De façon active.

– D'accord, puisque tu veux jouer avec les mots, allons-y : je ne ressens pas le besoin de ressasser un soi-disant viol que je n'ai pas commis, de façon activement négative, un quart de siècle plus tôt afin de faire la paix avec moi-même, avec toi ou quelqu'un d'autre. Est-ce assez clair ?

Amy se mordit la lèvre, ce qui lui rappela d'où Davey tirait cette habitude.

– D'après mon patient, tu as conseillé à Jean de ne pas parler de ce qui était arrivé.

– Et tu l'as cru ? Tu penses que je peux me comporter comme ça ?

Elle ne répondit pas tout de suite. Mais finalement :

– Je voudrais bien te croire.

– Parce que tu ne me crois pas ?

– Ne détourne pas le sujet, Simon. Ce n'est pas moi qui compte. Je viens de passer une séance effrayante avec un déséquilibré qui a accusé mon mari d'avoir commis le pire des crimes. Donc, j'aimerais savoir si tu as bien appelé la fille qui pensait que tu l'avais violée pour lui dire de garder le silence ?

– Je te l'ai déjà expliqué… Si j'ai cherché à la contacter, c'était pour savoir ce qui se passait. Au final, j'ai pu lui parler une minute sous son porche, et j'ai essayé de lui faire comprendre que si on apprenait ce qui s'était passé, ça n'arrangerait guère nos affaires, et que ce serait pire pour elle que pour moi. J'ai précisé que si elle avait l'impression que je l'avais prise de force, je m'en excusais, parce que j'étais persuadé qu'elle était consentante.

– Apparemment, elle ne l'était pas, puisque vingt-cinq ans plus tard, elle a fini par se suicider.

– Se suicider ?

Simon se souvenait de la rubrique nécrologique : « Morte de causes non naturelles ». Pourquoi n'y avait-il pas pensé ?

– C'est ce que dit son mari. Une overdose de barbituriques.

– Bon sang ! Je te jure, je croyais qu'on s'envoyait en l'air, qu'elle le voulait autant que moi !

– Comment as-tu pu commettre une telle erreur ?

Simon se souvenait du feu de la vodka descendant le long de sa gorge, de la sensation enivrante de s'allonger sur le quai en pleine nuit avec une jolie fille vêtue d'une robe de satin laissant ses épaules nues. Il était étrange de voir comment quelques détails finissaient par remplacer l'événement dans son intégralité.

– Je ne voulais pas finir cette partie de mes études en restant puceau, dit-il, et ce soir-là était ma dernière chance. Je me suis peut-être laissé emporter.

Son visage se crispa. Le peu de compassion qu'elle éprouvait au début de leur conversation s'était évanouie. Sa pâleur l'effraya.

– Tu te l'es faite parce que tu ne voulais pas rester puceau ?

De la façon dont elle le formulait, cela paraissait particulièrement méprisable.

– Écoute, on s'est envoyés en l'air comme des millions d'ados avant nous, et à mon grand dam je dois dire que ça n'a pas duré plus de deux minutes. Elle n'a pas crié, ne m'a pas frappé, rien du tout. Le seul moment où je me suis dit qu'il y avait peut-être un os, c'est après, quand elle a remonté la colline en courant pour rentrer avec Holly. C'est elle qui a choisi d'en faire un viol et d'en porter le poids jusqu'à la fin de ses jours.

– C'est ce que disent tous ceux qui abusent de leurs cavalières. C'est toujours la faute de la victime.

– Je ne dis pas que c'est sa faute. Juste qu'elle l'a interprété de façon négative.

– A-t-elle également choisi de tomber enceinte ?

– Quoi ?

– Tu l'as mise enceinte, Simon. C'est sans doute pour ça que sa famille a choisi de quitter la ville avant que ça se voie.

Il tenta de digérer cette nouvelle information.

– Qu'est-il arrivé au bébé ?

– Il était mort-né.

Il ne savait trop ce qu'il devait ressentir : du soulagement à l'idée de ne pas avoir un enfant qu'il n'avait jamais vu, ou des regrets à l'idée qu'une vie intimement liée à sa chair, une partie de lui, n'ait pas survécu. Et qu'avait dû endurer Jean, qui avait accouché si jeune pour perdre son bébé ?

– Désolé. (C'était bizarre de présenter ses excuses à Amy, mais il était trop tard pour Jean.) Je ne savais rien de tout ça. Elle s'en est allée et n'a plus jamais donné de ses nouvelles. Je n'ai jamais envisagé qu'elle puisse être enceinte.

– Elle l'était, et son mari est venu jusqu'ici pour te trouver. Simon, il n'y a pas que ces cartes postales bizarres. Dans mon bureau, il était assez remonté. Je ne sais pas ce qu'il est capable de faire.

– Il a eu ce qu'il voulait en te faisant peur. Maintenant, il va s'en aller.

– Tu en es vraiment sûr ?

Il était sûr et certain qu'ils n'entendraient plus parler de Paul Walker. Il prit sa main comme il l'aurait fait en temps normal, comme par jeu, comme s'il l'avait attrapée et ne la lâcherait plus.

– Je pense qu'on n'a plus aucun souci à se faire.

*

* *

Ce soir-là, au lit, après avoir éteint la lumière, il se lova contre son dos, comme toujours, et l'entoura de son bras. Il ne risquait pas de faillir à leur routine. Elle ne le repoussa pas, et il se fondit lentement en elle au fur et à mesure qu'ils se détendaient. Un peu plus tard, elle dit :

– Je t'en prie, pas ce soir.

Il s'éloigna d'elle en roulant sur son côté de leur lit *king size*.

*
* *

Il s'éveilla au milieu de la nuit et pensa : *Ce n'est pas vrai. Je ne peux pas avoir causé la mort d'un autre être humain.*

Et pourtant, c'était la vérité, ou du moins ça y ressemblait. De toutes les possibilités qui s'offraient à lui, il n'avait jamais étudié celle-ci. Si Amy semblait écœurée par Simon le violeur, que penserait-elle de Simon l'assassin ? Quoique, ce n'était pas vraiment un assassinat. Il n'y avait pas préméditation. Au pire, il avait provoqué la mort sans intention de la donner… Non, même pas. Ce n'était qu'un accident, un terrible accident, une série d'événements malheureux. Il avait même tenté de sauver l'homme qui épiait sa famille. Ça devait bien jouer en sa faveur, non ?

Simon se glissa au bas du lit et attendit un moment. Amy avait le sommeil léger. En temps normal, elle se réveillait au moindre mouvement pour lui demander si tout allait bien. Pas cette fois. Il traversa la chambre en caleçon pour gagner le vestibule, sentant l'humidité de l'air sur sa peau. La maison était silencieuse ; rien ne bougeait, à part lui. Il jeta un coup d'œil dans la chambre de Davey, comme à son habitude. Dans la pénombre, il put le voir, allongé en travers de son lit étroit dans une masse de draps emmêlés. Casper était blottie autour de sa tête. Tout semblait comme avant, ce qu'il trouva bizarre, puisque tout avait irrémédiablement changé. Lui, Simon Howe, propriétaire et rédacteur en chef du journal de Red Paint, était devenu un sujet d'article. Il imagina sa photo graineuse, en noir et blanc, guère plus qu'une série de points sur la fiche de police. Il aurait l'air échevelé, mal rasé, abattu, avec le regard d'un coupable. Combien parmi ceux qui le verraient étalé en première page diraient : « Ça ne m'étonne pas. Je me doutais bien qu'il était capable de tout. » À Portland, le *Press Herald* le mettrait certainement en première page, lui, l'ancien journaliste ayant mal tourné. Un reporter de New York ou de L.A. descendrait en ville et fouinerait dans le coin comme s'il s'agissait d'un nouveau site historique. Il – ou *elle*, peut-être, histoire de donner l'indispensable touche féminine à cette sombre histoire de viol et de meurtre – deviendrait un habitué de chez Red's, surprenant des bribes de conversation, glissant sa carte de visite sur le comptoir pour qu'on l'appelle afin de convenir d'un rendez-vous dans un lieu isolé. Et on lui parlerait, comme le font les gens du Maine dès qu'ils sont lancés ; ils ne demanderaient qu'à raconter leurs souvenirs de Simon, ce jeune homme talentueux mais remuant, Simon qui était parti à Portland pour se faire un nom dans le journalisme, Simon qui était revenu dix ans plus tôt pour acheter le journal local, un drôle de choix, un dernier recours pour un journaliste qui n'avait jamais pu quitter le Maine. De toute évidence, il espérait faire carrière. Ça se sentait dans son travail. Il ne s'impliquait pas dans la vie locale comme un rédacteur en chef aurait dû le faire. Distant, étranger. Quant à ce qui s'était passé sur le quai vingt-cinq ans plus tôt, des rumeurs avaient circulé. La famille de cette fille avait quitté la ville peu après, et Simon avait été le dernier à être vu en sa compagnie. Quelques-uns avaient additionné deux et deux, et conclu qu'il avait dû se passer quelque chose. Personne ne parla de viol. Nul n'osa aller jusque-là. Mais avec le recul…

Sur le lit, Casper remua, se leva, s'étira, puis se lova à nouveau autour de la tête de Davey, dans l'autre sens cette fois. Simon tourna les talons et se dirigea vers la cuisine sur la pointe des pieds. S'il était un buveur de thé, ce serait le moment de faire bouillir de l'eau, de fouiller dans la boîte embaumant les plantes, puis de s'asseoir, les mains autour de la tasse, à humer son arôme. Très relaxant. Sauf qu'il avait horreur du thé et de son goût amer qui lui rappelait ses maladies d'enfance. Pour sa mère, une tasse de thé était le meilleur remède contre les maux d'estomac. Il ouvrit le réfrigérateur et en tira le lait bio qu'Amy achetait en un vain effort d'inciter Davey à avaler quelque chose de sain. Il s'en servit un verre jusqu'à ras bord.

C'était un accident. Tout le monde comprendrait ça s'il se rendait, s'il expliquait ce qui s'était passé, comment une chose en avait amené une autre. Mais s'il n'avait rien fait de mal, pourquoi n'avait-il pas appelé la police en constatant que Paul ne refaisait pas surface ? Pourquoi quitter les lieux, rentrer chez lui, se changer ? En faisant comme s'il ne s'était rien passé, il ne réussissait qu'à démontrer le contraire.

28

Lorsque Simon recula dans sa place de parking habituelle, face au mur de briques rouges du *Register*, il ne coupa pas immédiatement le contact. Il resta là un moment, ses doigts tapotant le volant, à examiner la situation dans laquelle il se retrouvait. D'après Amy, il était un violeur non repentant. D'après Paul Walker, il avait poussé une femme au suicide. Et d'après ses propres observations, il était probable qu'il avait provoqué la mort d'un homme. Il y avait des problèmes qu'on pouvait envisager de résoudre, mais ceux-ci semblaient insolubles. On ne peut faire revivre les morts. Mais on peut toujours échapper aux conséquences. Il pouvait reculer dans ce parking et quitter Red Paint, le Maine et cette vie, du moins pour un moment. Amy apprécierait certainement d'être débarrassée de lui un certain temps. Quant au *Register*, eh bien, il n'était pas indispensable. Il pouvait s'imaginer la une : « Notre rédac chef quitte la ville ». En guise de concession au fait qu'il en était toujours le propriétaire, ils n'écriraient pas « a fui la queue entre les jambes ».

Lorsqu'il en franchit enfin la porte, la salle de rédaction bourdonnait d'une activité inhabituelle. Quitter la ville avait un goût d'aventure, mais il n'était pas du genre à se défiler. Alors qu'il se dirigeait vers son bureau, Joe Armin se matérialisa soudain devant lui, comme à son habitude, comme s'il pouvait se téléporter à volonté.

– Hé, patron, on tient un gros coup ! dit-il. Je l'ai entendu sur le scanner radio, la police recherche une personne disparue près de la baie.

Simon continua son chemin d'un pas décidé, posa sa sacoche sur le sol et regarda le courrier posé sur son bureau, comme d'habitude.

– Qui est-ce ?

– Un type qui était descendu à l'auberge. Ils pensent qu'il a pu tomber dans la baie et se noyer.

Tomber dans la baie. Pas poussé ni cogné. Simon glissa son doigt sous le rabat d'une enveloppe pour l'ouvrir.

– Pourquoi la police s'imagine-t-elle que ce quelqu'un a fini à l'eau ?

– Hier après-midi, il a réservé une table pour dîner à 19 heures et a dit qu'il allait faire un tour sur la plage. Mais il n'est pas revenu. Ils ne s'en sont pas formalisés, sauf que ce matin Ken McBride, le…

– Je sais qui est Ken, Joe.

– Oh oui. Bon, il a trouvé les chaussures et les chaussettes de ce type sur le quai. Ils en ont conclu que, peut-être, il était allé se promener le long du rivage pieds nus et était tombé à l'eau. Pour autant qu'on sache, il était sujet à des vertiges. J'allais me rendre là-bas pour mener l'enquête, si ça vous va ?

Ça devait aller. Bien sûr, un journaliste devrait forcément couvrir la disparition, et peut-être la noyade, d'un client de Bayswater Inn.

– Bien sûr, répondit Simon. Va et ramène-moi un article.

*
* *

On finirait certainement par retrouver le cadavre. Au bout du quai, la baie ne faisait guère plus de trois mètres de profondeur, et le courant était faible. Il ne risquait pas de dériver très loin. Alors qu'il sirotait son café en parcourant les dépêches, Simon tenta de réfléchir à ce qui allait suivre. On ramènerait le corps, Ken McBride l'identifierait : ce serait bien Paul Chambers, un des clients de l'auberge. Tout donnerait à penser que ce maladroit notoire s'était noyé (le léger hématome sur son menton passerait inaperçu). On mènerait l'enquête pour savoir qui était exactement ce Paul Chambers et ce qu'il venait faire à Red Paint. Le *Register* passerait sa photo avec pour légende : « Connaissez-vous cet homme ? ». Quelqu'un, un ancien camarade de classe ou un ami, s'il en avait, le reconnaîtrait probablement, bien qu'il eût beaucoup changé. Ils diraient que son vrai nom était Paul *Walker*. On se souviendrait de sa présence à la réunion des anciens du lycée et on se demanderait ce qu'il y faisait, lui qui était de la promotion suivante. Amy, libérée de son devoir de réserve par la mort de son client, viendrait peut-être expliquer qu'elle l'avait reçu plusieurs fois en tant que patient. Simon ignorait si elle en dirait davantage.

*
* *

À 13 heures, il décida de déjeuner chez Red's, comme chaque vendredi ; il alla s'installer à son point de chute habituel, le tabouret au siège de cuir rouge tout au bout du comptoir. C'était une heure tardive pour déjeuner, du moins à Red Paint, si bien qu'il n'y avait qu'une poignée de clients éparpillés le long du restaurant en L. La serveuse, également épouse de Red, avait tout le temps de s'adosser à la machine à café pour faire part des derniers ragots à Simon.

– Le vieux Rhodes va bientôt passer l'arme à gauche. Doris dit qu'il y a des chances qu'ils abrègent ses souffrances ce week-end. Samedi, ils fêteront leur soixante-dixième anniversaire de mariage. Elle tient à passer ce cap, comme si c'était une sorte de record.

Simon pensa envoyer Ron immortaliser ce moment, mais que ramènerait-il : la photo d'un vieillard frêle portant un masque à oxygène et de sa femme, tout aussi décrépite, le suppliant de rester en vie encore quelques instants ? Qui voudrait voir ça ?

– Lenore Jenks, reprit l'épouse de Red en ramassant le poivrier et la salière posés devant lui pour vérifier leurs niveaux. Tu en as entendu parler ?

– J'avoue que non.

Simon parcourut des yeux le menu, trois pages proposant des huîtres grillées, des calamars, des hamburgers aux champignons, des pâtes, des currys, des soupes, des biftecks et des plats de côtes. Red était un cuistot fantasque, mais pas très doué pour l'orthographe. À chaque repas, Simon trouvait de nouvelles fautes – la salade de poulet *épissé*, les *aubregines* à la parmigiana, les *barons* de mozzarella.

– Elle dit savoir ce qui est arrivé à ce type qui a disparu.

Il garda les yeux sur le menu et ses plats absurdes, feignant d'être à peine intéressé par ce qu'elle lui racontait. *Lenore. Ce qu'elle avait vu.*

– Et que lui est-il arrivé ?

– Elle prétend qu'il n'est pas tombé tout seul, qu'on l'a poussé.

Simon pensa que c'était le bon moment pour lever les yeux et témoigner un brin de curiosité journalistique.

– Comment le sait-elle ?

– Elle promenait son chien un peu plus loin au bord de l'eau lorsqu'elle a entendu deux hommes qui se disputaient, puis l'un a poussé l'autre. Du moins, c'est ce qu'elle raconte.

Deux hommes, c'est tout ce qu'elle avait distingué, trop éloignés pour être identifiés par une vieille dame à la vue probablement déficiente. Rien que des spéculations.

– J'imagine qu'elle est allée trouver la police.

– Oh oui ! mais elle n'arrête pas d'aller les embêter en prétendant avoir vu une chose ou une autre, comme cet ovni qui planait au-dessus de la baie le mois dernier, d'après elle. Comme si elle avait pu être la seule à apercevoir une soucoupe volante de la taille d'un terrain de football !

– C'est dingue.

– Lenore a une araignée au plafond, c'est sûr, alors personne ne la croit. Je vais la voir deux fois par semaine, et tu n'imagines pas les histoires qu'elle invente. Red dit que c'est ma pénitence.

– Ta pénitence ?

– On doit tous porter notre part de souffrance, et si elle ne nous tombe pas dessus, à nous de la chercher.

– Une philosophie intéressante, déclara Simon.

Et qui l'étonnait, venant de la femme de Red. Il se demanda ce qu'il avait pu rater durant toutes ces années où il l'avait écoutée d'une oreille distraite tout en déjeunant.

– Ce n'est pas une philosophie, reprit-elle, c'est une religion. Si c'était juste une philosophie, ça ne m'intéresserait pas. (Elle prit une carafe d'eau et remplit son verre.) Je ferais mieux de me taire avant que Red m'enguirlande. Tu sais ce que tu veux ?

Ce qu'il voulait ? Revenir en arrière, un mois plus tôt, lorsqu'il était juste le rédac chef de la feuille hebdomadaire d'une petite ville d'un coin du pays où personne ne venait jamais et dont tout le monde se fichait comme de l'an quarante. Au temps où il avait une épouse qui lui faisait confiance, une épouse plus intelligente que lui, plus sympa que lui, et aussi plus franche. Ils avaient un fils hyperactif qui mettait leur patience à rude épreuve, mais que jamais ils n'échangeraient contre un modèle plus docile. Un temps où jamais personne n'aurait vu en lui un violeur ou un assassin. Malheureusement, il n'y avait pas de machine à remonter le temps au menu de Red's Diner.

– La soupe de palourde est toute fraîche, dit l'épouse de Red pour l'encourager. Je sais à quel point tu aimes ça, Simon.

Sauf qu'aujourd'hui il n'avait aucune envie de cette soupe laiteuse et poivrée. En fait, il n'avait pas d'appétit. Mais il savait qu'il valait mieux ne pas commencer à sauter des repas. Il avait besoin de carburant pour que ses méninges fonctionnent correctement. Il ferma les yeux, tourna la page et, lorsqu'il les rouvrit, la première chose qu'il vit fut Salade Mandarin à l'orange. Il ferma le menu.

– Numéro 24.

– Alors ce sera la salade Mandarin. Mais aujourd'hui, on l'a préparée avec des pommes. Les oranges se sont gâtées.

– Très bien, alors je prendrai une salade Mandarin aux pommes !

Elle se rendit à la cuisine. Le regard de Simon dériva vers la fenêtre alors qu'une voiture de police se garait devant le restaurant. Il se tourna de nouveau vers le comptoir et prit son verre d'eau entre ses mains. Il aurait aimé avoir quelque chose pour s'occuper les doigts, des gressins à manger, un petit pain à beurrer. Il avait l'impression de se retrouver dans un vieux film, un fugitif en cavale coincé dans un snack alors que les flics encerclent les lieux en sortant leurs revolvers. C'était effrayant, cette impression d'être recherché, même si ce n'était que son imagination. La porte s'ouvrit, faisant tinter la sonnette, et un courant d'air balaya la grande salle. Il se sentit rougir, le sang affluant au cerveau, le préparant à être sur ses gardes.

– Simon ! Ça va ?

Il leva les yeux pour découvrir le grand sourire de Tom Garrity, chef de la police de Red Paint depuis des temps immémoriaux. Tom avait toujours le sourire, ça n'avait pas de signification particulière. Son uniforme bleu était tout froissé, comme s'il avait pris l'habitude de dormir dedans. L'écusson sur sa poitrine semblait anormalement brillant, comme un jouet d'enfant.

– Salut, Tom ! Prends un tabouret.

Garrity passa son énorme jambe par-dessus le siège voisin et se tortilla jusqu'à ce que son poids soit convenablement réparti.

– Je ne savais pas que tu dînais chez Red's, dit Simon.

Une petite blague pour initiés. Personne ne *dînait* jamais chez Red's.

– Tu sais, je dois m'arrêter partout. Pas de favoritisme !

Il agita la main pour attirer l'attention de l'épouse de Red et mima le geste de verser du liquide.

Elle parcourut l'allée centrale, saisissant une cafetière et une tasse au passage.

– Tu veux une part de tarte, Tommy ? Aujourd'hui, elle est à la myrtille.

L'épouse de Red connaissait tout le monde.

– Non merci, répondit-il en tapotant son ventre. Barb m'a mis au régime.

Il ajusta le pistolet rangé à sa ceinture. *Un geste délibéré,* se dit Simon, *mais dans quel but ?* Réaffirmer son autorité ? Il était probablement juste venu prendre un café. Les flics en boivent toute la journée.

– Alors, demanda Garrity, comment vont les nouvelles ?

– En fait, cet été est plutôt calme. On aurait bien besoin d'un scoop.

– J'en ai peut-être un. Tu sais qu'on est à la recherche d'un client de l'auberge qui semble avoir disparu ?

– Oui, j'ai envoyé Joe Armin couvrir l'histoire. Si ça peut t'être utile, on la passera en première page, que tout le monde sache qu'il faut ouvrir l'œil.

Le chef but une gorgée de café.

– Cet homme s'appelle Paul Chambers. Tu ne le connaîtrais pas, par hasard ?

– Chambers ? Ce nom ne me dit rien.

– Non ?

Simon n'aimait pas cette réponse et ce qu'elle sous-entendait, comme si le chef lui donnait une chance de dire la vérité. Qu'était-il censé dire ? *Vous savez, je me demande si ce type qui m'est rentré dedans sur le quai n'était pas ce Chambers que vous recherchez.*

– Pourquoi cette question, Tom ?

– Il a laissé un mot dans sa chambre. (Le chef tapota sa poche de blouson, là où devait se trouver le mot en question.) Il y mentionne ton nom.

– Vraiment ? Je peux le voir ?

Simon tendit la main. Garrity la regarda.

– Désolé.

L'épouse de Red apporta sa salade Mandarin, une énorme assiette de légumes verts, de noix et de tranches de pommes.

– Autre chose ?

– C'est déjà beaucoup.

Garrity attendit qu'elle soit hors de portée de voix. Le chef était toujours discret.

– Tu n'avais pas un rendez-vous hier après-midi ?

Il piqua une tranche de pomme avec sa fourchette.

– Je rencontre pas mal de monde tous les jours.

– Ce type, par exemple ?

Le chef tira une photo de la poche qu'il avait tapotée précédemment. Simon se demanda quelles autres preuves il pouvait bien y dissimuler.

– Le type du milieu, dit Tom, le moustachu. C'est Paul Chambers.

Et c'était bien Paul Walker, sous la bannière du « Vingt-cinquième anniversaire », en compagnie d'une demi-douzaine d'autres types, bras dessus bras dessous, comme de vieux potes faisant les andouilles. Mais il était le seul à ne pas sourire.

– S'il était à la réunion, je présume que j'ai dû le voir, c'est pour ça qu'il me dit quelque chose. Mais il n'est pas de notre promo, ou alors il a beaucoup changé, y compris son nom.

– Donc, tu ne le reconnais pas ?

Simon orienta la main du chef, afin de regarder la photo sous une meilleure lumière. Son cerveau passa en revue toutes les possibilités qui se présentaient à lui, n'aboutissant qu'à des impasses, cherchant néanmoins à progresser. Tout serait plus facile s'il avait une idée de ce que la police savait déjà. Pour ça, il devrait faire parler le chef tout en restant évasif, ce qui était dans les cordes de n'importe quel journaliste digne de ce nom.

– Je ne comprends pas pourquoi tu poses toutes ces questions, Tom. Qu'est-ce qui se passe ?

Le chef reposa sa tasse de café, bien qu'elle fût quasiment pleine.

– On essaie de savoir ce que ce type faisait à Red Paint et où il se trouve maintenant. Si tu nous disais tout ce que tu sais, ça nous serait d'un grand secours.

– Au risque de me répéter, il me rappelle quelqu'un, mais avec cette moustache et cette coupe de douilles, je ne suis pas sûr.

– Et là, on se retrouve face à une énigme. Ce mot qu'il a laissé est notre seul indice.

Simon remarqua qu'il ne parlait pas d'éventuels témoins de l'altercation au bord du lac. Le chef dissimulait-il cette information ?

– Je ne demande qu'à t'aider, Tom. Si tu voulais bien me dire ce qu'il y a sur ce…

Le chef y réfléchit un moment.

– Il a écrit : « Simon Howe connaît la vérité. »

– C'est tout ?

– C'est tout.

– Hum, reprit Simon, c'est plutôt bizarre…

Mais si c'était tout ce que Paul avait écrit, il n'y avait pas de quoi l'envoyer en prison. Cette phrase suggérait un lien entre eux, mais il pouvait n'exister que dans sa tête.

– Il a laissé de l'argent dans une enveloppe pour payer son séjour, reprit le chef. Donc, il n'avait pas l'intention de revenir à l'auberge.

Simon écarta le buisson de salade pour trouver d'autres tranches de pommes. C'était la conduite à suivre lorsqu'on voulait sembler détaché de la conversation : faire semblant de s'intéresser à quelque chose d'autre.

– Tu penses qu'il avait prévu de se suicider ?

Un commentaire émis du coin de la bouche pendant qu'il mâchait une pomme.

– C'est une possibilité. Mais on n'a pas retrouvé ses vêtements dans sa chambre. Et on n'a toujours pas localisé sa bagnole.

– C'est une énigme en effet, répondit Simon.

Et il était sincère. Pourquoi Paul avait-il vidé sa chambre et déplacé sa voiture avant de descendre sur le quai ?

– Alors, tu as une idée de pourquoi il a écrit ton nom sur ce mot ?

– Non, répondit Simon.

Alors même qu'il prononçait ce mot, Simon se demanda quel effet il pouvait avoir, à quelle vitesse et avec quelle assurance il pouvait le dire, combien de fois il devait ciller, afin d'être convaincant aux yeux d'un représentant de la loi. Il voudrait réessayer, avec plus de confiance dans la voix, sans réfléchir.

– J'imagine que ce type a pu le lire dans les colonnes du *Register*. Parfois, je reçois des courriers de dingues. Mais peut-être devrais-tu aller voir Amy. Je ne voulais pas en parler, à cause de son devoir de confidentialité, tout ça, et je ne peux dire s'il était un de ses patients, mais tu devrais aller la trouver.

– S'il *était* un de ses patients ?

L'usage des temps, toujours révélateur, toujours dangereux.

– Il *est* porté disparu, non ? Et Amy a… (Simon eut une hésitation comme s'il se demandait s'il devait continuer.) En fait, je ne devrais même pas en parler. Tom, tu me mets dans une drôle de position. Tout ce que je peux dévoiler, c'est qu'un des patients d'Amy lui a fait des misères, je crois que c'était hier. Elle a appelé la police, ce doit être dans vos archives.

– J'y jetterai un œil, déclara le chef en faisant tourner sa tasse entre ses mains. Mais toi-même, tu ignores tout de ce type ?

Simon secoua la tête, brièvement, peut-être un non, peut-être pour ne pas répondre.

– Va voir Amy, Tom. Elle pourra sans doute t'aider.

Garrity se leva, tira deux billets de un dollar de sa poche et les posa sur le comptoir.

– Tu veux que je publie sa photo dans la prochaine édition ? proposa Simon. On peut agrandir son visage et le mettre en première page.

Garrity tira sur le holster qui avait glissé sous son ventre.

– Pour l'instant, je doute que ça puisse nous servir.

Pourquoi une telle réponse ? En cas de disparition, il faut toujours lui donner un maximum de publicité, à moins qu'il soit impossible de retrouver la personne en question. Simon tendit la main.

– On ne sait jamais.

– En effet.

Le chef laissa tomber la photo sur la table.

*
* *

Lorsque Simon sortit sur le parking de Red's, le soleil brillait, comme l'avait annoncé le bulletin météo. Quelques nuages dérivaient paresseusement vers l'intérieur des terres, fait inhabituel à cette période de l'année. Ces masses vaporeuses étaient claires au sommet et sombres en dessous, donnant une impression de solidité. Il avait lu qu'un cumulus pouvait peser le poids de cent éléphants, et se demanda si c'était vrai. Sachant cela, il était difficile de les regarder du même œil.

D'un geste du pouce, il ouvrit son téléphone pour appeler Amy. Comme d'habitude, il tomba directement sur son répondeur. C'était à prévoir, et ça l'arrangeait plutôt, du moins lorsqu'il ne voulait pas répondre à ses questions.

– Salut, Amy, c'est moi. Écoute, je viens de discuter avec Tom Garrity à propos du type qui a disparu. Il est bien possible que ce soit ce patient dont tu m'as parlé. Tom va probablement te contacter vu que j'ai sous-entendu que tu suivais le type en question. Je lui ai expliqué que tu ne pouvais rien révéler, secret professionnel, mais il va certainement chercher à te tirer les vers du nez. Il veut retrouver cet homme, et comme tu ignores où il est, tu ne peux pas vraiment l'aider, de toute façon. Bon, ce message est déjà trop long. Appelle-moi si tu veux.

Lorsqu'il raccrocha, il se demanda si son message avait été assez clair : ne dis rien à la police.

*
* *

Joe Armin fit son rapport au téléphone.

– Ils envoient des plongeurs fouiller la baie. Quelqu'un a vu un homme tomber du quai jeudi après-midi.

Tomber – un terme indiquant qu'ils pensaient toujours à un accident. Apparemment, personne ne prenait Lenore Jenks au sérieux.

– Oui, reprit Joe avec le ton surexcité d'un jeune reporter, un des capitaines du camp des boy-scouts a assisté à la scène.

Les doigts de Simon se crispèrent sur le téléphone. Ça l'étonnait toujours de constater que la simple mention orale d'une menace provoquait une réaction physique, une tension musculaire.

– Comment a-t-il fait, Joe ? Il ne peut l'avoir vu depuis l'autre côté de la baie.

– Ils observaient les oiseaux et il regardait justement dans cette direction avec ses jumelles, il était donc aux premières loges. Je crois que je devrais aller le trouver.

Quelles étaient les chances qu'un tiers impartial, un chef de camp scout, soit en train d'observer des oiseaux, et à la place tombe sur un tel spectacle ? Qu'avait-il vu d'autre dans ses jumelles ? Et pourquoi Garrity avait-il omis de lui parler de ce témoin crédible ?

– Bonne idée, Joe ! Va l'interroger, qu'il te dise précisément ce qu'il sait.

*
* *

– Pourquoi m'as-tu envoyé Tom Garrity ? demanda-t-elle.

Il était agenouillé dans le jardin, arrachant à pleines poignées des mauvaises herbes autour des plants de tomates qui, en ce mois de juillet, atteignaient à peine soixante centimètres de haut. Seules quelques fleurs jaunes indiquaient qu'elles avaient été fertilisées. Encore une année pourrie pour les tomates. Il s'était dit que partir du bureau en avance pour bricoler à l'extérieur lui permettrait d'oublier un peu ses soucis. Et voilà qu'Amy se dressait devant lui, attendant une réponse.

– Bonjour à toi aussi, soupira-t-il en s'asseyant sur ses talons. L'an prochain, je propose qu'on renonce aux tomates et aux concombres et qu'on se contente de jeter des graines de fleurs sauvages dans le jardin. Ça nous épargnera bien des efforts.

– Puisque c'est toi qui te charges des mauvaises herbes, tu peux bien planter ce que tu veux. (Elle s'écarta pour laisser le soleil de cette fin d'après-midi éclairer son regard.) Vas-tu me dire pourquoi tu m'as envoyé le chef de la police ?

Simon arracha d'autres mauvaises herbes, envoyant de la terre sur ses chaussures. Elle les épousseta, levant un pied après l'autre. Mais des petits grains s'obstinaient à coller au cuir brun comme des taches contrastées.

– Je l'ai vu chez Red's à l'heure du déjeuner, et il m'a posé toutes sortes de questions sur ce disparu, ce Paul. Et comme tu l'as reçu une ou deux fois…

– Tu espères que je tiendrai ma langue, c'est ça ?

– Je sais que tu ne peux rien révéler de tes patients. Mais je pensais pas devoir cacher à la police qu'il te consultait, puisqu'il a disparu et s'est peut-être suicidé. D'ailleurs, je n'ai rien dévoilé à Tom. Je l'ai juste suggéré. Je croyais que vous arrangeriez tout ça entre vous.

– Eh bien, c'est ce qu'on va faire. À partir du moment où j'ai appelé le 911, c'est devenu une affaire de police.

– Tu veux dire que tu *peux* parler de lui ?

Simon tenta de prendre un air légèrement surpris, comme si ce n'était qu'une simple question d'éthique, mais il était certain qu'elle n'était pas dupe.

– Je peux révéler que cette semaine un homme qui a dit s'appeler Paul Chambers m'a empêchée de quitter mon bureau, mais pas ce qu'il m'a raconté lors de nos séances. C'est tout ce qui t'importe, non ? Que la police ignore pourquoi il est venu à Red Paint.

Simon redressa une pousse de guingois et remit en place l'élastique qui la retenait au tuteur. Il n'avait que peu d'espoir de voir ce plant donner une tomate, mais il voulait lui laisser sa chance. Dans son jardin, tout le monde était traité avec équité. Du plat de la main, il essuya son front couvert de sueur.

– Il serait sans doute préférable de ne pas le leur dire.

– Ils pourraient obtenir une assignation à comparaître pour me forcer à me mettre à table. En ce cas, il me faudra décider de ce que je leur raconterai.

– Est-ce que tu coopérerais ?

– Peut-être, s'ils veulent juste des éléments pouvant servir à le localiser. (Elle remarqua la terre encore collée à ses chaussures et se pencha pour l'essuyer, mais elle ne réussit qu'à l'étaler encore plus.) Tu ne veux pas que la police le retrouve, n'est-ce pas ?

Il arracha une feuille morte.

– Qu'est-ce qui te fait dire ça ? Bien sûr que si !

Elle passa d'un pied sur l'autre, cachant le soleil pour le laisser l'inonder à nouveau, en un effet stroboscopique.

– Sais-tu où se trouve Paul Chambers… Paul *Walker* ?

Il mit sa main en visière pour la regarder.

– Comment veux-tu que je le sache ?

– Tu ne réponds pas à ma question. Sais-tu où il est ?

Pas vraiment. La dernière fois qu'il l'avait vu, il coulait dans les eaux sombres de la baie. Peut-être avait-il profité du fait que Simon plongeait à son tour pour sortir en douce. Peut-être avait-il flotté jusqu'à un autre point du rivage sans que nul ne le remarque. Peut-être s'était-il vraiment noyé. Il y avait toutes sortes de possibilités. Si on ne retrouvait pas le corps, comment s'assurer qu'il était bien mort ?

– Non, je l'ignore.

– Pourquoi mets-tu si longtemps à répondre, Simon ? Soit tu le sais, soit tu ne le sais pas.

– Comme je l'ai dit, je l'ignore.

– Alors pourquoi as-tu hésité ?

– Maintenant tu minutes mes réponses pour déterminer si tu peux me croire ? Est-ce qu'il existe une règle des deux secondes que j'ignore ?

– La règle, c'est qu'on ne se cache rien.

– Est-ce qu'on en revient à Jean Crane ? Parce que je t'ai bien expliqué que je ne l'avais pas forcée.

Amy pencha la tête sur le côté, comme pour s'adapter au changement de sujet.

– Rien à voir avec Jean Crane. Je parle de son mari qui est venu à Red Paint pour se venger de celui qui, selon lui, avait violé son épouse. En l'occurrence, toi, Simon. Et maintenant, il a disparu.

– Et tu crois que j'ai quelque chose à voir avec ça ?

– Est-ce le cas ?

Il se leva pour lui faire face avec juste quelques dizaines de centimètres pour les séparer. C'était bon d'être beaucoup plus grand et plus fort.

– Maintenant, c'est toi qui éludes la question. Crois-tu que j'ai joué un rôle dans la disparition de ce type, oui ou non ?

Ses yeux se rétrécirent comme si elle cherchait à sonder au plus profond de son être, là où elle trouverait certainement la vérité. Il se dit que les âmes devraient être livrées avec un blindage protecteur. Elles ne devraient pas être ouvertes à tous les vents. Quatre secondes, cinq, six…

– Et *toi*, pourquoi mets-tu si longtemps à répondre ?

– Oui.

– Oui ?

– Oui, je crois que tu as quelque chose à voir avec sa disparition.

– C'est si réconfortant de constater que tu me fais confiance, remarqua-t-il. Ça me prouve qu'après seize années notre mariage est toujours aussi solide.

– Je n'ai pas gardé un seul secret durant tout ce temps. Pour toi, je suis un livre ouvert. Alors que durant ces années de vie commune, tu m'as caché ce fait assez important : une fille t'a accusé de viol.

– Je n'arrive pas à croire que tu remettes ça sur le tapis. Apparemment, dans ton esprit, je suis *Simon le mari qui dissimule à sa femme qu'il est un violeur*. Et tu peux y ajouter que je suis *Simon le mari qui a peut-être, devinez quoi ? tué un homme…* C'est ce que tu penses ?

– Je ne t'ai jamais accusé de l'avoir tué, Simon. (Elle plissa les yeux comme pour mieux le voir.) Dis-moi que tu ne l'as pas fait.

Il aurait aimé nier de toutes ses forces, la faire culpabiliser d'avoir seulement envisagé cette possibilité. Mais une petite voix lancinante lui répétait que, peut-être, il avait entraîné la mort d'un autre être humain. Qu'il l'avait *tué*, d'une certaine façon. Sachant cela, avait-il vraiment le droit de s'offusquer qu'elle l'ait elle aussi envisagé ? Néanmoins, il était indigné. Elle n'avait pas de raison de s'imaginer une chose pareille, sinon sa méfiance intrinsèque. Une faille en elle.

– Si je te jure que je ne l'ai pas tué, que je ne lui ai rien fait du tout, tu ne me croiras pas, hein ?

– Essaie toujours.

Il se tourna de nouveau vers son jardin et plongea ses mains dans la terre.

*

* *

Lorsqu'il entra dans la maison, une scène familière l'y attendait : Davey assis sur le tabouret au dessus de cuir, ses pieds ne pouvant toucher le sol, pendant qu'Amy tournait autour de lui comme un policier dans une salle d'interrogatoire. Pour ça, elle n'avait pas besoin de lui.

– Papa ! s'écria Davey en le voyant, et il sauta de son siège.

Amy prit le garçon par son bras mince et serra.

– Tu me fais mal ! piailla-t-il en se dégageant.

– Alors remonte sur ce tabouret. Je n'ai pas fini.

Davey obéit.

– Que se passe-t-il ? demanda Simon en retirant ses gants de jardinage.

Amy se tourna vers lui comme si elle s'adressait à un jury.

– Il semblerait que ton fils ait joué avec des couteaux chez son ami Kenny et, d'après Dora Reed qui vient d'appeler, il en a jeté un sur son fils, lui coupant l'avant-bras. Elle a dû l'emmener aux urgences pour le faire vacciner contre le tétanos. Décidément, ces temps-ci, c'est la foire aux bonnes nouvelles !

Simon regarda Davey, assis derrière sa mère. Le garçon fit mine de cracher dans sa main et l'agita en l'air. Le message était clair.

Amy revint à lui :

– Donc, je te repose la question : as-tu jeté un couteau sur Kenny ?

– Non, m'man, c'est lui qui s'est blessé tout seul.

Amy lui jeta un regard torve.

– Pourquoi ferait-il ça ?

– Il voulait frimer en me montrant comme il visait bien, mais il a raté son coup. Enfin, pas vraiment, mais il s'est coupé au bras et s'est mis à saigner. C'est moi qui l'ai obligé à aller voir sa mère pour qu'on lui fasse une piqûre antitétanique. Il allait remettre son sweat sans lui en parler. Je lui ai sauvé la vie, non ?

Elle ignora sa dernière supplique.

– Alors pourquoi est-il allé raconter à sa mère que c'est toi qui as jeté ce couteau ?

– Il dit toujours que c'est moi au lieu de lui pour pas avoir d'ennuis, parce que, s'il savait ça, son père le tuerait.

– Son père ne va pas faire ça.

– Il va certainement lui taper dessus, il le fait tout le temps, pour un oui ou pour un non.

– Tu as déjà vu M. Reed frapper Kenny ?

– Pas vraiment, mais il lui crie dessus, j'le sais, parce que je l'ai entendu plein de fois.

– J'imagine que Kenny le mérite, comme toi, plus de fois que je ne pourrais les compter. La seule chose qui importe, c'est que Kenny et toi jouiez avec des couteaux et qu'il a fini par se blesser.

– Non, m'man, je te jure, j'ai rien fait. P'pa m'a dit de ne pas jouer avec des couteaux parce qu'ils sont dangereux. C'était juste Kenny.

Simon vit la main de son fils traverser sa poitrine en signe de vérité, un geste d'une délicatesse surprenante. Le garçon dévisagea Amy avec une expression si innocente, si convaincante. Puis il se tourna vers Simon :

– Toi, tu me crois, hein, p'pa ?

Bien joué. Il tentait de l'impliquer dans cette petite scène. Sauf que Simon ne le laisserait pas faire. Dans ce drame de cour, où l'inquisiteur aguerri affrontait un suspect rusé, il était juste un observateur. Qui croirait le jury ?

– Peu importe ce que je pense, décréta-t-il en se dirigeant vers la cuisine. C'est ta mère que tu dois convaincre.

*

* *

Ce soir-là, Simon attendit qu'Amy s'enferme dans la salle de bains pour se détendre longuement dans la baignoire avec une pile de *Psychologies Magazine*. Elle en aurait bien pour une heure. Il se rendit dans la chambre de Davey, où elle l'avait consigné pour la soirée, lui qui se trouvait sur les lieux lorsque Kenny s'était blessé. Coupable par proximité. Le garçon gisait à l'envers sur son lit, Casper allongée sur sa poitrine. Simon leva les yeux pour voir ce que son fils pouvait bien fixer de si intéressant au plafond. Rien. Avoir onze ans, sur son lit, un chat sur le cœur, et scruter le vide. Devait-il l'envier ?

– C'est pas juste, dit le garçon sans bouger. M'man m'a puni alors que j'ai rien fait. (Ses yeux bruns empreints de tristesse sous ces cils incroyablement longs se tournèrent vers lui.) Tu peux lui parler, p'pa ?

– Tu *as* fait quelque chose, je te rappelle. Hier, Kenny et toi jouiez bien avec des couteaux.

– Elle en sait rien. Elle devrait pas me punir pour quelque chose qu'elle ignore.

– Crois-moi, Davey, elle sait. Même si elle ignore qu'elle le sait.

– Quoi ?

– Laisse tomber ! Quand on a conclu notre marché, tu ne m'avais pas expliqué que Kenny s'était blessé avec ce couteau et que sa mère avait dû l'emmener à l'hôpital.

Davey passa ses bras autour de Casper et roula sur lui-même, clouant le chat sur le dos.

– Tu ne me l'as pas demandé, p'pa, alors je ne te l'ai pas dit.

– Maman a demandé si tu avais joué avec ce couteau, et tu lui as menti.

Davey massa le ventre de Casper, mais sans douceur.

– C'est parce que je ne voulais pas qu'elle se mette en colère, parce qu'elle ne comprendrait pas.

La vieille chatte se tortilla dans tous les sens pour se dégager sans sortir ses griffes.

– Ne tiens pas Casper comme ça ! ordonna Simon.

– Elle aime ça. Je le fais tout le temps.

– Tu n'en sais rien, alors lâche-la.

Davey obéit. Casper se retourna d'un bond et fila vers la porte.

– Qu'est-ce qui te fait dire que maman ne comprendrait pas ?

– C'est une fille. Les filles jouent pas avec des couteaux.

Les filles ne jouent pas avec des couteaux, ne déchargent pas des armes à feu en pleine rue, ne violent pas, ne tuent pas. Comme la vie semblait simple, pour peu qu'on soit une fille. Il aurait presque voulu essayer pendant un moment.

– N'empêche, tu ne dois pas lui mentir.

Davey s'allongea de nouveau sur le lit, les mains croisées sous la tête.

– *Toi*, tu lui as menti.

Simon mit un moment à prendre la mesure de cette déclaration : *Toi, mon père, toi qui es censé m'apprendre à être honnête, tu lui as menti.*

– Qu'est-ce que tu racontes ?

– Quand tu es rentré à la maison tout mouillé, tu n'avais pas juste renversé un soda : tu étais trempé de la tête aux pieds. Tu sais pas mentir, p'pa. Tu veux trop convaincre que tu dis la vérité. Si tu veux qu'on te croie, tu dois faire comme si tu t'en moquais.

– On dirait que tu as réfléchi à la question…

Davey acquiesça.

– Oui, pour mentir, il vaut mieux être bien préparé. Après, ça va tout seul.

– Tu es sûr que tu dois me révéler tout ça ? Je suis ton père.

– Ça fait rien, puisque toi aussi tu mens. Tu ne voulais pas qu'elle sache comment tu t'es retrouvé trempé, hein ?

– C'est parce que…

– Ça ne fait rien, p'pa, insista Davey. Tu as menti, comme moi.

C'était vrai. Il était un menteur, comme son fils, pire même, puisque son propre mensonge traitait de vie et de mort.

– Écoute-moi, Davey, mentir ne résout rien. Ça ne fait qu'aggraver les choses.

– Seulement si tu te fais prendre.

– Ce n'est pas la question. Ce qui compte, c'est ce qu'on croit. Maman ne veut plus m'écouter parce qu'elle sait que je lui ai menti.

– Et à moi aussi, non ?

– Oui.

– Pourquoi, p'pa ? Même si tu as fait quelque chose de mal, je m'en fiche.

Simon s'assit sur le lit, la main à quelques centimètres de celle de son fils. Il avait envie de la prendre, de caresser sa paume comme il le faisait quand Davey était tout petit. Il aimait tant la façon dont son petit poing se refermait sur son index et refusait de le lâcher. *Même si tu as fait quelque chose de mal, je m'en fiche.* Pas de pardon, juste une acceptation inconditionnelle. D'un menteur à un autre.

– Tu as raison, affirma Simon, je n'aurais pas dû te mentir, ni à maman. Et à partir de maintenant, ça va changer. Plus de mensonges entre nous.

Davey roula sur le flanc et posa sa tête sur sa paume.

– Alors, comment tu t'es mouillé ?

– Eh bien, c'est à cause d'un homme, il s'appelle Paul. Depuis un mois, il n'a cessé de m'envoyer des cartes postales.

– Celles sur le réfrigérateur ?

– Tu les as vues ?

– Oui, puisqu'on a décidé de se dire la vérité, j'ai fait tomber l'aimant en forme de poisson en refermant la porte trop fort, et il s'est cassé. Tu peux le retenir sur mon argent de poche, si tu veux.

Il battit des cils, un mouvement féminin, mais naturel chez Davey.

– Qu'as-tu fait des cartes postales ?

– Rien du tout. Elles doivent être encore par terre à côté du frigo.

Une explication simple à la disparition des deux cartes. Rien de mystérieux, rien de sinistre.

– Si je t'ai menti lorsque tu m'as vu trempé, c'est parce que cet après-midi-là, j'étais sur le quai en face de Bayswater Inn avec l'homme qui m'envoyait ces cartes postales, et je me suis disputé avec lui. Je croyais qu'il avait fait mal à maman et j'étais très en colère. Je l'ai poussé, et il est tombé à l'eau.

Davey se releva sur son lit.

– Ouah ! Mais alors, ce type qui a disparu, c'est celui que tu as flanqué à l'eau ?

– C'est lui. J'ai plongé pour le sortir de là, mais je n'ai pas pu le trouver.

– Alors il s'est noyé ?

– Je ne sais pas ce qui s'est passé. Ils ne l'ont pas encore retrouvé.

– Dis, p'pa, fit Davey avec ce qui ressemblait plus à de l'enthousiasme qu'à de l'inquiétude, ils ne vont pas t'arrêter, hein ? Parce que tu l'as frappé, mais tu l'as pas tué. T'as même plongé pour le sauver, non ?

Il avait plongé en effet, avait touché le fond plusieurs fois ; l'eau était si glauque qu'il avait dû se servir de ses mains pour chercher le corps à tâtons. Cette tentative de sauver la victime jouerait-elle en sa faveur, même si elle venait sur le tard ?

– Je ne sais pas ce qui va se passer, fiston. On verra ce que dira la police lorsque je lui raconterai tout ça. Mais ça se saura, c'est sûr, et d'autres ados peuvent vouloir te parler.

– Pourquoi ?

– Pour te dire des choses sur moi.

Davey serra ses petits poings.
– Ils ont pas intérêt ou je tape.
– Non ! reprit Simon, plus fort qu'il ne l'aurait voulu. Tu n'as donc rien écouté ? C'est comme ça que je me suis fourré dans les ennuis, en frappant quelqu'un. Tu dois être plus malin que moi.
– Tu veux que je tende l'autre joue ? répondit Davey, dédaigneux.
C'était exactement ce que voulait dire Simon, mais il comprit qu'il était inutile de le formuler de cette façon.
– Je veux que tu sois assez fort pour battre en retraite si des gamins cherchent la bagarre. Voilà ce que je veux. Je peux compter sur toi ?
– Et s'ils me suivent et continuent de dire du mal de toi ? Là, je peux taper ?
– En aucun cas tu ne dois faire usage de tes poings, compris ?
– C'est sacrément dur de ne pas cogner quelqu'un qui le mérite.
– Je sais, répondit Simon. Crois-moi, je sais.

29

Quand on s'est déjà confessé une première fois, se disait Simon, la deuxième doit être plus facile. Mais lorsque la personne qui devait recevoir cette confession n'était autre qu'Amy, eh bien, il en était moins sûr. Il tendit ses mains par-dessus la table ronde située à l'arrière du Surf Club, le meilleur restaurant de poissons de Red Paint. C'était aussi le plus cher, ce qui expliquait pourquoi il n'y avait qu'une poignée d'autres couples éparpillés dans le salon dominant la place. Au Surf Club, un soir de semaine, on pouvait être sûr d'être tranquille.

– Ça me rappelle le jour où tu m'as demandée en mariage, remarqua Amy.

– Non, répondit-il troublé, j'ai fait ma déclaration dans ce restau, dans le port de Portland, avec une guirlande de bouchons de liège. La grande classe !

– Ce n'était peut-être pas le même établissement, mais la lumière des chandelles était la même, c'était aussi un restaurant de poissons et crustacés, et le serveur venait de débarrasser la table lorsque tu m'as pris les mains. *Là*, j'ai su que tu avais quelque chose d'important à me dire.

Il se souvenait avoir apporté l'anneau de fiançailles, le plus beau qu'on puisse avoir pour cent quatre-vingt-quinze dollars, et essayé de le lui passer. Sauf qu'il était bien trop petit. Il s'était étonné de voir à quel point il avait sous-estimé la taille de son doigt.

– Tu as dit oui tout de suite, sans hésiter.

– J'étais parée. Ça faisait des semaines que tu glissais des allusions.

Serait-elle aussi prête ce soir ? Pouvait-elle avoir deviné ce qu'il allait lui révéler ?

– Je t'ai menti.

Elle acquiesça, rien de plus. Elle ne fit pas d'autre geste d'encouragement.

– Je t'ai menti à propos de Paul Walker.

Elle retira ses mains.

– Oh non ! Simon, c'est vrai ? Tu l'as tué ?

Il aurait voulu lui dire que non afin d'apaiser ses craintes, mais la réponse était plus complexe.

– J'ai reçu une autre carte postale, au bureau cette fois-ci, me disant de venir sur le quai ce jeudi. Paul Walker a déboulé et a commencé à raconter des histoires démentes à propos de Jean Crane et moi. Puis il a prétendu qu'il venait juste de te voir et, à l'entendre, il t'aurait fait du mal. Lorsque je n'ai pas pu t'avoir au bout du fil, j'ai craint le pire.

– Et donc…

Simon inspira profondément en se demandant jusqu'où il pouvait aller.

– Et donc je l'ai frappé, pas très fort, et il est tombé à l'eau. Il a pataugé un peu, mais il n'était qu'à quelques dizaines de centimètres du quai. Je me suis dit qu'il ne risquait rien.

– Tu ne pouvais pas te pencher et le sortir de là ?

Ç'avait été sa première idée, de lui tendre la main. Mais une petite voix lui avait dit d'attendre, de regarder, de voir comment évoluait la situation.

– D'abord, je ne savais pas quoi faire, et j'ai hésité.

– Tu ne savais pas si tu devais le sauver ou pas ?

– Comme je m'inquiétais pour toi, je t'ai passé un coup de fil. Puis il a coulé à nouveau. J'ai plongé pour essayer de le retrouver, mais il avait disparu. Je ne sais pas comment il a fait. Si près du bord, l'eau n'est même pas profonde…

L'expression du visage d'Amy changea, et il se demanda s'il y avait toujours un moment comme celui-ci, où ses patients remarquaient qu'elle comprenait vraiment la gravité de la situation. Où ils recevaient la confirmation de ce qu'ils pressentaient : qu'ils étaient vraiment mal barrés.

– Je n'y crois pas ! s'exclama-t-elle. D'abord, je découvre qu'une femme s'est suicidée parce qu'elle s'était mis en tête que tu l'avais violée, et maintenant tu me dis que tu as frappé un type et l'as laissé se noyer !

– Je ne savais pas qu'il allait se noyer ! Je ne suis même pas sûr qu'il soit mort.

– Tu le regrettes ? Tu es sûr que tu ne préférais pas que ton problème disparaisse dans la baie, comme Jean Crane lorsqu'elle a quitté la ville ?

– Bon sang ! On en revient encore à Jean ?

– Je veux juste te faire comprendre…

– Mais pourquoi t'y sens-tu obligée ? Je ne suis pas un de tes patients. Tu n'es pas l'arbitre de ma vie. Merde ! Le soir du bal de promo, j'étais juste un ado bourré d'hormones, et tu me juges comme si j'étais le seul responsable de ce que cette femme s'est infligé elle-même ! Elle a eu toutes ces années pour essayer de surmonter ce qui s'était passé, ou du moins son interprétation des faits, et elle a choisi de devenir une épave dysfonctionnelle et une épouse passive.

– Elle n'a pas *choisi* d'être comme ça, pas plus qu'une victime de troubles post-traumatiques ne *choisit* de rester marquée toute sa vie !

– Elle n'est pas allée chercher de l'aide, si je ne m'abuse. Amy, elle s'est suicidée vingt-cinq ans plus tard ! Vingt-cinq années à gâcher sa vie et celle de son mari, et maintenant la mienne !

Amy prit son verre de vin à deux mains. Pour une fois, il lui avait cloué le bec. Pour une fois, elle le laissait présenter ses arguments.

– Paul Walker est revenu ici pour me détruire, reprit-il. Et pour ça, pas besoin d'enlever Davey, ou de me tirer dessus, comme tu le pensais. Il lui a suffi de te faire croire que j'avais violé Jean. Ensuite, il n'avait plus qu'à quitter la ville et laisser faire les choses. Il semblait plutôt passif, mais il savait très bien ce qu'il faisait.

– Ce n'est pas lui qui compte.

– Tu as raison, s'empressa-t-il d'acquiescer. Mais il n'y a pas que moi. Et toi ? Tu es tellement habituée à trôner sur tes grands principes moraux que, pour toi, tout est clair et net, blanc ou noir. Un dingue t'a raconté sa version de ce qui s'est passé il y a des années, et tu l'as cru sans même envisager qu'il puisse faire de moi un bouc émissaire, que Jean était peut-être mentalement perturbée pour des raisons qui n'avaient rien à voir avec moi. Dès le départ, tu t'es persuadée de ma culpabilité. (Une pensée dérangeante lui traversa l'esprit.) Comme si tu *voulais* croire que j'étais coupable.

Un serveur en livrée noire et blanche passa la porte des cuisines en poussant un plateau de desserts et continua son chemin sans même les regarder.

– Non, répondit-elle, je ne voulais pas y croire. Je ne veux toujours pas.

– Mais tu ne peux t'en empêcher. Pour une raison ou une autre, tu es disposée à avaler toutes les horreurs qu'on peut te raconter à propos d'une bêtise que j'aurais commise il y a vingt-cinq ans et que je devrais expier toute ma vie.

Elle but une gorgée de vin, prenant tout son temps.

– Tu as laissé Paul Walker se noyer, remarqua-t-elle. Ce n'était pas il y a vingt-cinq ans, mais jeudi dernier.

Sa voix calme l'exaspérait, et pourtant elle avait raison. Il avait frappé froidement un homme et l'avait regardé couler dans la baie de Red Paint. Sur le moment, ça lui avait semblé approprié, tellement évident que si Paul Walker réapparaissait, il serait bien fichu de réitérer son geste.

– Il nous épiait, Amy. Toi, Davey et moi. Tu ne comprends pas ce que je ressentais ?

Elle se leva et passa son sac à l'épaule.

– Non, je ne comprends pas comment tu as pu laisser un homme se noyer, ni comment tu as peut-être violé une fille. Je ne sais que faire de ces informations, Simon. C'est incroyablement perturbant.

– Et… ?

– J'ai besoin de temps pour réfléchir.

« Prends tout le temps que tu veux » lui semblait être une réponse appropriée, ou alors « Je regrette que ce soit si pénible pour toi ». Sauf qu'il n'avait pas envie de se montrer attentionné. Il se fichait de savoir qu'elle le prenait mal.

– Et tu espères que je vais rester bien gentiment à attendre que tu aies *réfléchi* ?

Elle fouilla dans son sac. Que pouvait-elle bien chercher ? Il n'osait l'imaginer.

– Oui, c'est exactement ça.

– Suis-je condamné à l'exil dans mon bureau, ou est-ce que je peux rentrer à la maison ?

– Ça ne serait pas une bonne idée, répondit-elle rapidement.

Pas une bonne idée *pour l'instant* ou *pour un moment* ? Apparemment, la réponse était : « Aussi longtemps qu'elle le jugerait bon ». C'était à elle d'en décider. Elle tira deux billets de vingt dollars et les jeta sur la table.

Il les fixa et mit un moment à comprendre.

– Tu paies ta part, comme si c'était un simple rendez-vous ? (Elle fit un pas, et il lui prit le bras.) Amy…

Elle regarda ses doigts crispés sur sa peau.

– Lâche-moi, Simon.

– D'accord, si tu m'écoutes une minute.

– J'ai dit, *lâche-moi* !

Les conversations des autres tables s'interrompirent. Le serveur qui venait de passer les portes à ressorts pivota pour retourner aux cuisines. Un couple âgé se pencha vers l'allée pour ne pas en perdre une miette.

Simon desserra sa prise.
– Ne fais pas ça, chuchota-t-il.

Amy retira sa main, repoussant celle de Simon, renversant son verre de vin au passage. Un flot rouge s'écoula sur le tissu blanc. Tous deux le regardèrent, comme figés. Puis elle s'en alla, quelques pas rapides vers la porte, et disparut. Par la vitre, il vit son ombre s'installer dans la Volvo. Cette fois, contrairement à son habitude, il ne pourrait lui dire de conduire prudemment.

*
* *

C'était la première fois qu'il passait la nuit au *Register*. Le vieux canapé de la salle de conférence était bien assez confortable, même s'il manquait quelques centimètres pour qu'il puisse s'étendre de tout son long ; mais il était assez large pour lui permettre de se blottir sur le flanc, les jambes repliées, ce qui, de toute façon, était sa position habituelle. Un jour passa, puis deux. Il trouva toutes sortes de raisons d'appeler à la maison, des choses dont il s'occupait généralement et auxquelles il ne pensait pas plus que ça. Il y avait le crédit à payer. Le peintre viendrait estimer les coûts des travaux dans la maison. Amy devrait faire attention à la porte de derrière, parce qu'il arrivait que le loquet s'ouvre tout seul. Durant ces brefs coups de fil, il ne lui demanda pas s'il pouvait revenir, et elle n'aborda pas le sujet.

La dernière fois, elle lui lança qu'elle préparait le dîner et passa le combiné à Davey.

– Salut, p'pa, quoi de neuf ?

Maman m'a chassé de la maison – sauf qu'il ne put se résoudre à le dire. Il aurait trop à expliquer.

– Je passe quelques jours au bureau.

– Parce que vous vous êtes disputés, m'man et toi, c'est ça ?

Qu'est-ce qu'elle avait bien pu lui raconter ? Elle avait dû se montrer charitablement évasive. Et pourtant, il avait promis à Davey de lui dire la vérité.

– Tu te souviens du jour où je suis rentré trempé à la maison ? Maman s'est fâchée lorsque je lui ai expliqué ce qui s'était passé.

– J'avais raison alors. Mieux vaut mentir.

Était-ce là ce qu'il devait en conclure ? Mens et tu pourras dormir dans ton lit, sois honnête et tu seras chassé de ta propre maison ?

– Mentir est ce qui m'a valu tous ces ennuis, Davey.

– Alors quand est-ce que tu rentres à la maison ?

Demande à ta mère – voilà ce qu'il était tenté de répondre, mais il ne voulait pas que Davey se retrouve pris entre deux feux.

– Dans quelque temps, fiston.

– Il faut que tu reviennes. M'man me quitte pas des yeux.

– Elle est juste en colère, Davey, tiens bon.

– Elle m'appelle pour dîner, faut que j'y aille. Salut, p'pa !

– Je t'aime, dit Simon juste après avoir entendu le déclic à l'autre bout du fil.

30

La carte postale portait l'inscription : « Vérité ou Conséquence, Nouveau-Mexique » par-dessus la photo d'une station balnéaire nichée au milieu de collines de grès. Simon retourna la carte et lut : « La Bible dit que la vérité libère. Est-ce le cas ? Fidèlement vôtre… »

Paul Walker – c'était lui, pas de doute. Simon regarda de près le cachet postal. La carte avait été envoyée deux jours plus tôt, trois après sa prétendue disparition dans la baie. Paulie était vivant. Il ne s'était pas noyé. Il ne l'avait pas tué.

– Les nouvelles sont bonnes, monsieur Howe ?

Simon leva les yeux et aperçut Rigero à l'autre bout du bureau, des épreuves entre les mains.

– Oui, David, les nouvelles sont très bonnes.

– Tant mieux, parce que je ne peux en dire autant. On a des trous dans la première page. Pas le moindre scoop à se mettre sous la dent. Meg demande si vous voulez qu'on abandonne la mise en page actuelle pour repartir à zéro.

Simon affichait toujours un grand sourire. Même s'il l'avait voulu, il n'aurait pu s'en débarrasser. *Je n'ai tué personne !* Il ne risquait plus d'être arrêté, interrogé, humilié, et mis en prison.

Maintenant, il n'avait plus rien à cacher, surtout depuis qu'il avait tout avoué à Amy. Paul Walker ne pouvait plus faire de mal à sa famille.

– Monsieur Howe ?

– Oui, David, effacez la première page. Je m'en occuperai après le déjeuner.

*

* *

C'était une drôle de sensation que de tourner la clé de la porte de chez lui. Il n'était banni que depuis quelques jours, mais il avait l'impression d'être un étranger, un intrus. Amy était au travail – comme il l'espérait. Davey n'était pas là, lui non plus, sans doute chez celui ou celle qui le gardait, selon l'arrangement que sa mère avait trouvé. Dorénavant, elle ne le laisserait certainement plus jamais seul, même durant la journée.

– Salut ! lança-t-il, arrivé dans le vestibule.

La force de l'habitude. Il n'y eut pas de réponse.

Il regarda dans le salon, observa l'espace où se trouvait autrefois le vieux piano, le rectangle clair sur le plancher plus sombre. Il se demanda ce qu'elle choisirait d'y mettre – un autre piano ? Il monta au premier pour inspecter la chambre de Davey. Casper était là, à sa place habituelle, couchée sur son oreiller. Elle ne daigna pas lever la tête. Il y avait des vêtements éparpillés à droite et à gauche, des shorts et des T-shirts, comme si Davey les avait jetés au hasard avant de se coucher. Apparemment, Amy ne s'en formalisait pas.

Simon parcourut le couloir jusqu'à leur chambre, tira une valise de dessous le lit et y jeta des chaussures, des chemises, des pantalons et des ceintures. Il y avait si peu de choses indispensables pour affronter le vaste monde…

Lorsqu'il eut redescendu l'escalier, il entra dans la cuisine. L'évier débordait de vaisselle sale. Le plan de travail était jonché de sacs en plastique remplis d'oranges, de raisins et de tomates. Simon sortit la carte postale de sa poche et la posa contre les oranges, là où elle ne pouvait la rater.

*

* *

Il retourna au *Register* plus vite qu'il ne l'aurait dû sur ces routes étroites, préparant dans sa tête la colonne « Rétablir les faits » qui remplirait l'espace vide en première page. Il y avait tant de faits à rétablir. Dans la salle de rédaction, il éloigna son ordinateur de la fenêtre, tournant le dos à ses employés afin de leur faire comprendre qu'ils ne devaient pas le déranger. Puis il commença à écrire : « Chers lecteurs… »

Mais par quoi devait-il commencer ? Jusqu'où devait-il remonter ? Il confesserait ses relations avec Jean Crane, ce qu'elle croyait être arrivé le soir du bal de promo – le viol – et la façon évasive dont il avait répondu au chef de la police qui lui demandait s'il connaissait Paul Walker. Il admettrait l'avoir fait tomber du quai et avoir tardé à le sauver. Il pourrait même avouer avoir ressenti du soulagement en constatant que celui qui menaçait sa femme et son fils s'était noyé et ne les importunerait plus. Mais dans son souci de transparence, devait-il parler également du reste de sa vie ? Devait-il révéler qu'il avait gonflé son héritage de vingt mille dollars, afin d'obtenir le prêt qui lui permettrait d'acheter le *Register* ? Que durant les mois d'abstinence imposés par la grossesse d'Amy, il avait fantasmé sur sa jeune assistante éditoriale ? Ou que, plusieurs années après le collège, il fumait encore de la marijuana, allant même jusqu'à se planquer derrière le garage pour tirer quelques taffes pendant qu'Amy s'occupait de Davey ? Si la vérité était une libération, pourquoi ne pas aller jusqu'au bout ? Au cours d'une vie, on avait tant de faiblesses. Il était si facile d'y succomber. Et là, alors qu'il se les remémorait, il était sûr qu'il ne faisait que gratter la surface. Et d'abord, à quoi serviraient toutes ces indiscrétions ? Rien de bien remarquable. Au final, il était sûr que ses péchés étaient bien triviaux. Sauf peut-être l'un d'eux.

*

* *

Dans la salle des copies, au milieu des paquets d'invendus dont certains remontaient à des années, David Rigero plaça les dernières colonnes sur la première page, les deux de gauche. Il recula d'un pas et admira son œuvre.

– Vous avez réussi patron, il n'y a plus d'espace vide.

Simon se pencha en avant pour lire la citation de la semaine : « Nous vivons entourés de surfaces, et le véritable art de vivre est de les survoler avec talent. » – Emerson. Cette semaine, Barbara avait bien choisi : cette observation lui convenait à la perfection. Il avait tendance à rester à la surface des choses – Amy le lui avait dit un jour –, mais pour lui ce n'était pas forcément un mal. Le patinage est un art, et le simple fait de rester sur ses pieds un exploit. C'était toujours mieux que de casser la glace et de plonger dans les eaux noires et glaciales qu'elle dissimulait.

– C'est plutôt marrant, non, monsieur Howe ?

Simon leva les yeux, cherchant le lien avec la citation d'Emerson.

– Que veux-tu dire ?

– On est dans le même bain, vous et moi. On nous prend pour des violeurs.

– Marrant, oui, on peut dire ça.

– Faut avoir des couilles en acier trempé pour tout dévoiler comme ça. Ou être complètement idiot, sauf votre respect.

– Oui, la seconde hypothèse doit être la bonne.

Rigero plia ses bras, faisant saillir ses biceps. Simon s'étonna de voir qu'ils n'étaient pas si gros que ça.

– Il n'y a pas quelqu'un auprès de qui vous pourriez vous confesser, genre, un prêtre ? Ça vous épargnerait bien des désagréments.

– Mon Église ne pratique pas la confession.

– C'est dommage. Quelques *Notre-Père* et *Je vous salue Marie*, et hop ! vous voilà blanc comme neige.

L'idée que répéter quelques phrases toutes faites puisse vous purifier l'âme lui semblait bizarre. Il fallait certainement faire plus que vider son sac dans le secret de l'isoloir.

– Il est encore temps de retirer l'article, remarqua Rigero. On peut mettre une annonce immobilière à la place.

– On ne passe pas d'annonces en première page, David, et de toute façon je ne vais pas changer d'avis. C'est bon de tout faire sortir : plus rien à cacher, plus rien à expliquer. Tout le monde devrait le faire au moins une fois dans sa vie.

– C'est votre enterrement, soupira Rigero, retirant le rouleau pour insérer fermement l'article.

Il arracha la page de la table de montage et la leva.

– C'est fini, patron. Vous venez boire une bière ?

Simon imagina ce que penserait Amy si elle le savait – deux présumés violeurs écumant les bars. Elle serait furieuse.

– Bien sûr, pourquoi pas ?

31

Le croissant de lune jetait une lumière pâle sur la baie de Red Paint, à peine suffisante pour dévoiler l'étroite bande de sable s'incurvant vers le quai. La Toyota blanche qui ahanait dans le parking s'arrêta devant la barrière de pierre, puis se tut. Derrière le volant, Simon regarda à travers le pare-brise brouillé comme s'il attendait qu'il se passe quelque chose – un feu d'artifice, une pluie de météores, ou peut-être une visite miraculeuse.

Il ouvrit la portière, pivota pour passer ses jambes à l'extérieur puis se pencha pour retirer ses chaussures et ses chaussettes. Il marcha le long de la petite plage, plongeant ses orteils dans le sable à chaque pas. La caresse des grains lui rappela les premiers jours de l'été, lorsqu'il était petit et pouvait se promener sans chaussures. Jaillir de la porte de derrière, descendre le sentier sinueux menant à l'eau, puis passer des heures à explorer les moindres recoins de la baie jusqu'à ce que le visage lui cuise et que la plante fragile de ses pieds soit tailladée de partout.

Il ramassa une poignée de sable et le laissa filer entre ses doigts. Une minute durant, il observa les petites vagues clapotant sur le rivage.

À cinq cents mètres de là, l'autre rive était piquetée de mille feux, comme des étoiles tombées du ciel. Il continua sur le quai, et un éclair de lumière attira son regard, une luciole écrivant sur la trame des ténèbres comme sur un tableau noir. C'était bizarre, cet insecte solitaire traçant son schéma familier si loin des hautes herbes, là où des femelles pouvaient assister au spectacle. Lorsqu'il était enfant, il pouvait les regarder pendant des heures dans son jardin, des lucioles par centaines clignotant à l'infini. Un jour, il en avait saisi une au vol, histoire d'éprouver la rapidité de ses réflexes. Lorsqu'il avait ouvert la main, voir la carapace brisée au milieu d'un amas de pattes et d'ailes écrasées l'avait choqué, et il s'était empressé d'essuyer sa main sur la jambe de son pantalon.

Des éclats de rire lui parvinrent de l'auberge. Il se retourna instinctivement pour regarder vers le haut de la colline. Comme le son se propageait loin ! s'émerveilla-t-il. Et avec tant de clarté. Il passa son T-shirt par-dessus sa tête et courut comme un plongeur, tricotant des jambes pour rester en l'air. Son sprint ne dura que quelques secondes, mais ce fut suffisant pour qu'il s'imagine avoir à nouveau huit ans et souhaiter de toutes ses forces s'illuminer comme une luciole. Lorsqu'il transperça la surface, les flots l'engloutirent comme une gueule affamée. Il se laissa couler jusqu'à ce que ses orteils touchent le fond spongieux. Le limon aspira ses jambes, le maintenant en place.

Au bout d'un moment dont il n'aurait su évaluer la durée, ses poumons libérèrent l'air qu'ils contenaient. Il fléchit les jambes et, d'une détente, se propulsa vers le haut, les mains crispées comme pour agripper les barreaux d'une échelle. Le trajet jusqu'à la surface lui parut infini. Il se demanda s'il ne s'était pas trompé, s'il n'était pas parti sur le côté. Peut-être les bières qu'il avait bues l'avaient-elles désorienté. Il tenta de serrer les lèvres, mais l'eau saumâtre ne cessait de s'y infiltrer. Lorsque sa tête troua enfin la surface, il leva la bouche vers le ciel, toussant et crachant.

Il battit des bras pour rester à flot. Il se demanda s'il pourrait tenir comme ça pendant des heures s'il le fallait, tout le temps de réfléchir. Le *Register* sortirait jeudi matin, comme d'habitude. Les citoyens de Red Paint sauraient alors tout de lui, profitant des moindres détails de sa vie étalés en une colonne en première page. Ils le jugeraient, bien sûr, et les opinions seraient partagées, certains pour, d'autres contre, mais avec réticence, car tous comprendraient que n'importe lequel d'entre eux pouvait subir un tel procès. Davey entendrait toutes sortes de commentaires sur son père, peut-être même des railleries, et ne pourrait s'empêcher de se bagarrer. Il y verrait une preuve supplémentaire que dire la vérité était absurde, là où un bon mensonge pouvait vous tirer d'affaire. Amy s'approprierait toute la honte qui en découlerait. Puis elle chercherait à surmonter sa déception, à trouver un moyen de s'en accommoder à contrecœur. Et lui, Simon Howe, que deviendrait-il ? Peut-être que la vérité le libérerait bel et bien, comme l'avait suggéré Paul Walker, mais de quoi ? De ses souvenirs, de la culpabilité, d'Amy ? Pourrait-il supporter son pardon peu enthousiaste ? Il était impossible de dire ce qui l'attendait sur son chemin, quelles nouvelles histoires, quelles nouvelles possibilités. Il n'aurait qu'à faire bonne figure jusqu'à la fin de ses jours, comme il l'avait toujours fait, et voir ce qui arriverait puisque, de toute façon, il n'y avait pas d'autre solution. Il se laissa couler de quelques centimètres, laissant les eaux de la baie l'engloutir jusqu'à ce que seuls ses yeux émergent.

Mise en page : Compo-Méca SARL
64990 Mouguerre

Imprimé au Canada
Dépôt légal : novembre 2013

ISBN : 978-2-7499-2081-8
LAF 1612